ÉDITION SPÉCIALE

**Quand un auteur sait créer
un univers aussi bouleversant...
Quand il sait créer des
personnages aussi envoûtants...
il mérite
toute votre attention.**

**C'est pourquoi Harlequin
vous offre dès aujourd'hui
de partager et savourer
la nouvelle série Harlequin
ÉDITION SPÉCIALE...
les meilleures histoires d'amour...**

**Des millions de lectrices ont
déjà accueilli avec enthousiasme
ces histoires passionnantes.
Venez découvrir avec elles
la série
ÉDITION SPÉCIALE.**

ZELMA ORR

Un printemps parfait

HARLEQUIN

Cet ouvrage a été publié en langue anglaise sous le titre :

LOVE IS A FAIRY TALE

Publié originellement par
Harlequin Books, Toronto, Canada

53, avenue Victor-Hugo, Paris XVIe - Tél. 500.65.00.
ISBN 2-280-09060-0

Chapitre 1

De la fenêtre, Elsa contemplait le spectacle magnifique du soleil se couchant derrière les crêtes déchiquetées des Montagnes Rocheuses. Dans quelques minutes, elle fermerait la porte de son cabinet et monterait chez elle se reposer, après une journée bien remplie ; mais pour l'instant elle attendait le réveil d'un terrier du Yorkshire, qu'elle venait d'opérer d'une tumeur, pour vérifier s'il avait bien supporté l'anesthésie.

D'un geste las, elle ôta sa blouse, et la jeta dans le panier à linge.

— La journée est terminée, Rio ! Dis aux clients que je ne reçois plus, cria-t-elle en entendant tinter le carillon de la porte d'entrée.

Il y eut un bruit de voix et quelques secondes plus tard, un tout jeune homme de type mexicain entra dans la pièce, suivi d'un inconnu blond, au visage jovial.

— Un certain M. Hilton veut te parler, Elsa. Il dit que c'est important.

Ce dernier s'avança d'un pas et sourit.

— Permettez-moi de me présenter, Miss Whitelake : Steve Hilton, contremaître au ranch Wagner.

Elsa soutint le regard bleu de son visiteur et saisit la main qu'il lui tendait.

— Je vous présente M. Wagner, ajouta-t-il en se tournant vers un homme brun, aux yeux gris et au visage austère, qui se tenait légèrement en retrait derrière lui. M. Wagner est le propriétaire du ranch.

— Veuillez excuser notre sans gêne, fit ce dernier d'une voix grave. Nous aurions dû vous prévenir de notre passage.

— Ce n'est rien, répondit Elsa en lui serrant la main. Asseyez-vous, je vous en prie.

Plusieurs mois auparavant, elle avait répondu à une annonce parue dans la « Gazette des Vétérinaires », demandant un vétérinaire qualifié pour s'occuper du bétail, dans un ranch du sud-est de l'Arizona.

Dans la fièvre des fêtes de Noël, elle avait complètement oublié cette annonce ; aussi, quelle n'avait pas été sa surprise de recevoir la semaine précédente un appel de Steve Hilton, lui demandant si elle maintenait toujours sa candidature. Devant sa réponse affirmative, il lui avait annonçé sa prochaine visite, sans pouvoir en préciser la date exacte.

Le regard bleu du contremaître se promena tout autour de la pièce, avant de revenir se poser sur la jeune femme.

— J'espère que nous ne vous dérangeons pas, Miss Whitelake. Nous avons profité d'une réunion d'éleveurs à El Paso pour vous rendre visite.

Tandis qu'il parlait, Elsa observait Jeff Wagner à

la dérobée. Son expression fermée, voire hostile, qui contrastait avec le sourire épanoui de Steve Hilton, l'intriguait et la mettait mal à l'aise.

— Le Ranch Wagner, poursuivait le contremaître, couvre une superficie de trente mille hectares, où nous élevons diverses races de bovins, Hereford, Brahma, Charolais, des chevaux bien sûr, et quelques centaines de moutons. Notre vétérinaire actuel s'occupe de tout le bétail, mais il est âgé et la tâche est gigantesque ; elle implique également une vie en plein air, sans confort. Nos campements ne sont pas à proprement parler des hôtels de luxe.

La voix grave de son voisin s'éleva dans la pièce.

— Ce que mon ami Steve cherche à vous dire, Miss Whitelake, c'est que ce travail ne paraît guère convenir à une femme, aussi compétente soit-elle.

Depuis le début, Elsa s'attendait à cette remarque. D'ailleurs, elle était même étonnée que les deux hommes se soient déplacés pour venir la voir. Pure curiosité, peut-être...

— Soigner du gros bétail est en effet un métier très fatigant, monsieur Wagner. Tout le monde le sait. Si vous comptez embaucher un homme, votre visite me paraît sans objet.

— Mais... vos qualifications sont excellentes, Miss Whitelake. Nous tenions à vous exposer la situation afin que vous puissiez prendre une décision en toute connaissance de cause.

Steve Hilton se pencha en avant.

— Nous aimerions vous faire visiter notre ranch, Miss Whitelake. Ainsi vous pourrez juger la situation sur place.

— Excellente idée, dit Elsa en se levant. Messieurs, je meurs de faim, ajouta-t-elle en souriant, ce qui laissa apparaître deux minuscules fossettes sur ses joues. Comme je ne suis pas une excellente cuisinière et qu'il y a de nombreux restaurants dans le quartier, je vous invite à dîner !

— Voyons, Miss Whitelake, c'est à nous de vous inviter !

— Si vous y tenez... Accordez-moi quelques instants, je vais me changer.

Cinq minutes plus tard, elle ressortait de la pièce attenante à son bureau, vêtue d'un jean et d'un chandail en angora blanc.

Elle appela Rio, pour lui annoncer qu'elle sortait dîner.

— Viens-tu avec nous ou préfères-tu que je te rapporte quelque chose ?

— Deux double hamburgers et un coca-cola, si cela ne t'ennuie pas.

Elsa sourit : depuis quelque temps, son protégé se nourrissait exclusivement de hamburgers !

— C'est de son âge, expliqua-t-elle avec indulgence aux deux hommes, en refermant la porte du cabinet.

Une demi-heure plus tard, attablés devant un appétissant *chili con carne*, ils parlaient de la vie au ranch Wagner.

— Notre vétérinaire, M. Hammet, doit bientôt prendre sa retraite, expliqua Steve. Il souffre d'arthrose et ne peut plus rester longtemps à cheval. Mais il tient à demeurer au ranch pour assister son remplaçant. Vous verrez, c'est un homme adorable...

Elsa avait conscience que Heff Wagner ne la quittait pas des yeux, comme s'il cherchait à lire au plus profond d'elle-même. Sans savoir pourquoi, elle sentit les battements de son cœur s'accélérer lorsque son regard gris se posa sur sa bouche, au moment où elle s'essuyait avec sa serviette.

— Combien de temps comptez-vous rester à El Paso ? demanda-t-elle pour se donner une contenance.

— Une journée, seulement, répondit Steve. Le ranch est à environ six heures de route et nous devons faire une halte à Las Cruces.

— Avant votre départ, j'aimerais que vous rencontriez le docteur North. C'est le vétérinaire qui m'a vendu son cabinet, il y a deux ans.

— Volontiers. Disons demain matin ?

Jeff Wagner consulta sa montre.

— La journée de demain sera longue, Steve. Connaissez-vous un hôtel dans le quartier, Miss Whitelake ?

— Oui, il y en a un très bien au bout de cette rue. D'après ce que l'on m'a dit, on y sert un petit déjeuner somptueux !

Le docteur North travaillait dans son atelier quand les deux hommes et Elsa lui rendirent visite le lendemain matin. Dès qu'ils lui eurent exposé le motif de leur venue, il adressa un clin d'œil à la jeune femme et dit d'un ton bougon :

— Vraiment, je n'ai pas de chance ! J'ai trouvé

une remplaçante de premier ordre et vous voulez l'emmener !

Il regarda à nouveau Elsa, qui se tenait appuyée contre le chambranle de la porte et reprit :

— Messieurs, cette jeune personne n'a qu'un défaut : elle préfère nettement la compagnie des animaux à celle des hommes ! Cela dit, cette préférence est parfois justifiée... Mais vous ne pouvez pas trouver de meilleur vétérinaire dans toute la région. Pour ne rien vous cacher, je préférerais la garder ici.

Elsa sourit. Lorsque l'annonce était parue dans le journal, le docteur North l'avait vivement encouragée à poser sa candidature, connaissant sa passion pour la vie au grand air.

— Joss, ces messieurs paraissent réticents à employer une femme vétérinaire. Avez-vous des plaintes à formuler quant à mes capacités ?

Le docteur North fronça ses épais sourcils blancs, et secoua la tête.

— J'avoue avoir hésité avant de vous vendre mon cabinet... Mais mon esprit de pionnier a pris le dessus et je n'ai jamais eu à le regretter.

Ils bavardèrent ensuite à bâtons rompus des différents traitements contre les épidémies, du climat du Texas et de l'Arizona, et du danger de la rage qui se propageait rapidement d'un état à l'autre. Ensuite Steve et Jeff raccompagnèrent Elsa à son cabinet. Rio s'était occupé de nourrir les animaux qu'ils gardaient en observation, avant d'aller au collège.

— Avez-vous de la famille, des parents qui verraient une objection à votre départ pour l'Arizona ?

s'enquit Steve. Le ranch est un endroit très isolé, vous savez. On n'y trouve guère de distractions...

— Je vous rassure tout de suite : Rio et Rebus sont ma seule famille.

— Rebus ?

— C'est un vieux chien que j'ai trouvé sur le bord de la route, renversé par une voiture. Quant à Rio, je suis sa tutrice légale.

— Quand pourrez-vous venir visiter le ranch ? demanda Jeff Wagner, jusque-là silencieux.

Elsa regarda tour à tour les deux hommes.

— Voyons... lundi ou mardi ? Le docteur North et Rio pourraient me remplacer deux jours.

— Pourquoi pas lundi prochain ? Nous enverrons quelqu'un vous chercher à l'aéroport de Tucson.

Elsa acquiesça.

— D'accord. D'ici là je vous téléphonerai pour vous communiquer mon heure d'arrivée.

Ils prirent bientôt congé d'elle et Elsa regarda pensivement s'éloigner la grosse Jeep blanche. Elle aurait aimé être une petite souris pour se glisser dans la voiture et écouter la conversation entre les deux hommes...

Elle poussa un profond soupir. Finalement, mieux valait ne rien entendre, songea-t-elle en repensant à l'attitude froide et distante de Jeff Wagner. Quel étrange personnage... Il y avait longtemps qu'elle n'avait pas rencontré un homme si secret, si renfermé. Et si terriblement séduisant.

Elle se mit à classer des papiers, sans cesser de penser aux deux hommes et à leur proposition. Tout bien réfléchi, rien ne la retenait véritablement à El

Paso. Bien sûr, son travail la passionnait et Rio était très heureux au collège où il s'était fait de nombreux amis, mais il serait heureux de déménager. De son côté, Joss la poussait à aller voir du pays, à agrandir son champ d'expérience.

— Il est toujours bon de parfaire ses connaissances, Elsa, lui avait-il dit. Si jamais l'aventure s'avère décevante, vous savez que vous pouvez revenir ici. Bien sûr, vous me manquerez tous les deux, mais l'Arizona n'est pas le bout du monde. Vous viendrez bien me rendre une petite visite de temps en temps !

Deux ans plus tôt, jeune diplômée de l'école vétérinaire et à peine remise d'un douloureux divorce, Elsa était arrivée à El Paso, à la recherche d'un cabinet à louer. Elle laissait derrière elle un passé qu'elle voulait à tout prix oublier et, décidée à changer d'existence, elle avait quitté Laramie, dans le Wyoming, où elle avait fait ses études et où elle s'était mariée, pour s'installer dans cette petite ville proche de la frontière mexicaine.

Jusqu'à ce jour, la vie ne lui avait guère souri : abandonnée tout bébé par sa mère naturelle, elle avait été recueillie par un couple d'Indiens âgés, Lon et Roma Whitelake qui n'avaient pu avoir d'enfants. Ils travaillaient pour un rancher qui les avait aidés à surmonter les problèmes administratifs pour obtenir la garde du bébé, à qui ils demeuraient fidèlement attachés.

Roma était sourde, et son mari et elle communiquaient par signes. Bien avant d'avoir appris l'anglais, la petite Elsa parlait déjà parfaitement le langage des sourds-muets. Là-bas, dans les montagnes du Wyoming, tous les animaux étaient ses amis et elle imitait à la perfection le chant des oiseaux. Elle avait cinq ans quand Lon lui avait offert sa première guitare. Ils se promenaient tous deux dans les montagnes et le vieil homme lui avait appris à aimer la vie sauvage et à survivre dans des conditions difficiles, comme seuls les Indiens savaient le faire.

A l'école, elle était un objet de curiosité pour ses petits camarades, avec ses étranges yeux turquoise en amande, ses longues nattes brunes, tressées avec des fils de laine multicolores et son visage hâlé par la vie au grand air.

Elle venait à peine d'entrer à l'Université quand une épidémie de grippe espagnole frappa la région. Isolés et mal soignés, Lon et Roma moururent dans la même semaine, la laissant une nouvelle fois orpheline. L'année suivante, elle rencontra Tim Stanton et tomba follement amoureuse de lui. Tim était entraîneur sportif à Laramie et ils se marièrent dès qu'elle eut obtenu son diplôme de médecine vétérinaire. Ils emménagèrent dans une grande maison, au bord d'un lac, et Elsa renonça provisoirement à son métier, tout à la joie de se consacrer à son mari et à son nouveau foyer.

— Nous devrions penser à fonder une famille, ma chérie, lui chuchota-t-il une nuit en la berçant dans ses bras. J'aimerais avoir de beaux enfants, avant d'être trop vieux pour en profiter !

Les mois s'écoulèrent et Elsa n'était toujours pas enceinte. Un jour, elle se décida à aller consulter un spécialiste, qui lui fit faire des analyses très poussées.

Elle repensait encore avec horreur à la violente réaction de Tim lorsqu'elle lui avait appris qu'elle était stérile. Il ne pouvait imaginer qu'une jeune femme en bonne santé ne puisse avoir d'enfants, et malgré ses supplications, il resta sourd à sa proposition d'adopter un bébé. Une vie d'enfer commença alors pour Elsa, qui, se sentant coupable, plongea peu à peu dans un état dépressif. Après des semaines, des mois de silence hostile, Tim lui annonça qu'il désirait divorcer. Elsa reprit alors le nom de ses parents adoptifs, les seuls à l'avoir véritablement aimée. Désemparée, elle décida de quitter le Wyoming pour aller s'installer au Mexique. Mais en passant par El Paso, elle fut séduite par le charme de la ville, avec ses places ombragées, ses églises mexicaines et sa douceur de vivre.

Le docteur North fut le premier vétérinaire auquel elle rendit visite, après avoir cherché son nom dans l'annuaire du téléphone. Ce dernier avait vu entrer dans son cabinet une belle jeune femme aux étranges yeux turquoise, étirés vers les tempes, avec un nez droit et racé, des lèvres finement ourlées qui semblaient perpétuellement sourire et des cheveux noirs et brillants, coupés court, qui encadraient son visage à l'ovale parfait.

Très vite, le vieil homme et la jeune femme sympathisèrent.

— Voyez-vous, lui dit-il, je songe sérieusement à prendre ma retraite. Si cela ne vous dérange pas de travailler avec moi durant quelques mois... Ensuite, je vous céderai mon cabinet.

C'était une proposition inespérée, qu'Elsa accepta sans hésiter. Hélas, quelques semaines plus tard, le docteur North fut victime d'une sérieuse alerte cardiaque qui l'obligea à prendre sa retraite plus tôt que prévu. Elsa se retrouva donc seule pour s'occuper du cabinet.

En un sens, cette situation lui fut bénéfique, car ses longues journées de travail l'aidèrent à surmonter son chagrin et elle put enfin penser à Tim sans trop souffrir. Elle comprit qu'elle était sur la voie d'une guérison qu'elle n'aurait jamais crue possible quelques mois plus tôt.

Le claquement de la porte d'entrée la fit sursauter, la ramenant brusquement à la réalité. Elle entendit Rio parler aux animaux soignés dans les cages. Elsa lui sourit lorsqu'il entra dans son bureau. Les yeux noirs et brillants du jeune homme la fixèrent avec attention. Elle savait à quoi il pensait...

Lorsqu'elle lui avait parlé de cette proposition de travail au ranch Wagner, Rio n'avait guère manifesté d'enthousiasme.

— Alors, quoi de neuf? demanda-t-il, en s'asseyant en face d'elle.

— Eh bien, je dois aller au ranch, pour me faire une idée... Tu sais, pour un poste aussi important, on n'engage pas quelqu'un après une seule entrevue. Et puis j'imagine que je ne suis pas la seule candidate...

Voyant Rio toujours silencieux, elle poursuivit :

— Je vais partir deux jours. Joss viendra me remplacer. Pourras-tu t'occuper de Rebus et recevoir les clients ?

— Bien sûr. Et s'ils décident de t'engager là-bas, que feras-tu ?

Elsa sourit.

— Tu sais, j'ai aussi peu de chances d'obtenir cette place que d'être élue présidente des Etats-Unis. Dommage que tu n'aies pas encore ton diplôme, toi on t'aurait peut-être pris tout de suite...

Le jeune homme la regarda, perplexe.

— Mais tu es très qualifiée. Pourquoi ne te choisirait-on pas ?

— Pour certaines personnes, les femmes sont censées rester chez elles, tricoter et faire la cuisine, dit-elle d'une voix sourde.

Elle s'interrompit, désireuse de ne pas faire partager son amertume au jeune homme. La vie était déjà assez compliquée.

Rio regardait par la fenêtre, par-dessus l'épaule d'Elsa. Comme il avait changé, en deux ans... La jeune femme se souvenait comme si c'était hier de leur rencontre mouvementée.

... Ce soir-là, elle avait travaillé tard et s'apprêtait à aller dîner. Après avoir fermé la porte de son cabinet, elle se dirigea vers sa camionnette, garée au bord du trottoir. Au moment d'introduire la clé dans la serrure, elle s'immobilisa, le cœur battant, certaine d'avoir vu bouger une ombre derrière la roue avant.

— Il y a quelqu'un ? demanda-t-elle, sur le qui-vive.

La silhouette pivota sur elle-même. La jeune femme eut tout juste le temps d'apercevoir un visage brun, une frange de cheveux noirs et raides tombant sur des yeux apeurés, juste avant que l'adolescent ne prenne ses jambes à son cou. Sans hésiter, Elsa se lança à sa poursuite et ne tarda pas à le rattraper. Elle se jeta sur lui et ils roulèrent ensemble sur le sol. Se souvenant d'instinct des quelques prises de judo qu'elle avait apprises à l'université, elle prit bientôt le dessus et posa son genou sur la poitrine de l'adolescent. Les yeux clos, ce dernier chercha à reprendre son souffle.

— Très bien, amigo, murmura Elsa, avant que je n'appelle la police, dis-moi ce que tu faisais près de ma camionnette.

Il rouvrit les yeux et la défia du regard, sans répondre.

— Je t'ai posé une question. Réponds !

— Je voulais les enjoliveurs, répondit-il d'un air maussade.

— Pour quoi faire ?

— Pour les vendre.

— Combien en aurais-tu tiré ?

Il détourna la tête.

— Combien ?

— Un dollar, un dollar et demi.

Elsa le relâcha.

— Lève-toi.

Le garçon s'assit, mais ne fit aucun effort pour se lever.

— Comment t'appelles-tu ?

— Rio.

— Rio comment ?

Il haussa les épaules.

— As-tu faim ?

Pas de réponse.

— Eh bien, moi, j'ai faim. Viens, allons manger.

Une multitude d'expressions contradictoires passèrent sur le visage de l'adolescent ; étonnement, affolement, désespoir...

— Viens, dit-elle en s'éloignant, je ne vais pas attendre toute la nuit.

Elle jeta un coup d'œil par-dessus son épaule et le vit qui se relevait.

A partir de ce soir-là, ils ne se quittèrent plus. Elsa se rendit au service de l'immigration, où elle apprit que Rio, d'après sa carte d'identité, s'appelait Lawson, et possédait bien la nationalité américaine. De nombreux enfants étaient abandonnés à la frontière mexicaine, et pour le cas de Rio, on lui conseilla de s'adresser à l'Aide Sociale à l'Enfance, qui prenait en charge les orphelins délinquants. Contre l'avis de tout le monde, Elsa remua ciel et terre pour obtenir sa garde légale et le réinscrire au collège qu'il avait depuis longtemps déserté.

A l'époque, elle avait vingt-sept ans et lui seize ; parfois, Elsa sentait que Rio avait du mal à supporter l'autorité d'une femme qui pouvait être sa grande sœur. Mais à sa grande joie, il se révéla un élève particulièrement doué et intelligent, qui rattrapa très vite le retard qu'il avait accumulé au cours de ses années d'errance.

L'appartement d'Elsa étant trop petit pour y vivre à deux, ils transformèrent la pièce contiguë au cabinet vétérinaire en chambre, dont Rio choisit lui-même le mobilier et la décoration. Ainsi conservait-il une entière indépendance, tout en restant près d'Elsa.

Peu de temps après ces événements, la jeune femme découvrit dans la rue un vieux chien qui avait été heurté par une voiture et laissé pour mort dans le caniveau. Elle courut chercher Rio et ensemble ils le ramenèrent à la clinique, enveloppé dans une vieille couverture. Dans la salle d'opération, Elsa passa plusieurs heures à remettre en place ses os brisés.

— Crois-tu qu'il va survivre ? demanda Rio d'un ton angoissé.

Elsa ébaucha une moue perplexe.

— Je ne sais pas. Nous verrons bien...

Miraculeusement, le chien guérit. Il fut surnommé Rebus, et bientôt le trio inséparable devint célèbre dans toute la ville. Rebus, qui dormait dans la chambre de Rio, devint le gardien attitré de la clinique, tout en se prêtant de bonne grâce aux jeux des enfants du quartier...

— J'ai faim, dit soudain Rio, si nous allions manger un hamburger ? Je te l'offre. Hier j'ai nettoyé toutes les vitrines du voisinage !

Elsa acquiesça en souriant, bien décidée à oublier durant une heure ou deux heures, la perspective de son nouveau travail.

Chapitre 2

Le Continental 727 au fuselage argenté effectuait des cercles concentriques autour de l'aéroport de Tucson, et Elsa regardait le désert se rapprocher à grande vitesse. Elle n'avait jamais aimé l'avion et ce voyage confirmait encore cette appréhension. Elle se sentit soudain ridicule en voyant les autres passagers lire tranquillement leur journal, tandis que l'énorme appareil s'apprêtait à se poser. Les roues touchèrent le sol avec un léger choc et la jeune femme respira enfin librement.

Malgré l'heure matinale, l'aéroport de Tucson était déjà en pleine activité. Tandis qu'elle descendait dans le grand hall par l'escalier mécanique, Elsa entendit la voix d'une hôtesse résonner.

— Miss Elsa Whitelake est attendue à la livraison des bagages. Je répète : Miss Elsa Whitelake...

En arrivant à l'endroit indiqué, elle s'entendit interpeller.

— Miss Whitelake ?

Elle se retourna et aperçut un véritable cow-boy,

au visage tanné par le soleil, en pantalon et veste de jean, qui tenait son grand chapeau à la main.

— Oui, c'est moi.

— Je me présente : Jasper Clayton, du ranch Wagner.

Il sourit, découvrant une rangée de dents éclatantes.

Elsa lui rendit son sourire.

— Comment m'avez-vous reconnue ?

— Steve m'a dit que vous étiez grande, brune, et très belle. Je n'ai donc pas eu de mal à vous identifier.

— Je l'avais prévenu que je louerais une voiture, mais il n'a pas voulu m'écouter.

Jasper hocha la tête.

— Le ranch est beaucoup trop loin.

Il saisit le sac de voyage de la jeune femme et se dirigea dans le sens opposé à la sortie.

— Nous... nous n'y allons pas en voiture ? s'inquiéta-t-elle.

— Jeff Wagner possède son avion personnel. Comme vous le voyez, je suis cow-boy à mi-temps, pilote à l'occasion et accessoirement, je suis aussi son avocat ! Ne me dites pas que vous avez peur de l'avion, ajouta-t-il en fronçant les sourcils.

— Peur n'est peut-être pas le terme exact, monsieur Clayton, mais j'avoue préférer sentir la terre sous mes pieds.

— Eh bien, je vais essayer de ne pas vous terroriser !

Il l'aida à monter dans un bi-moteur orange posé en bout de piste, lui attacha sa ceinture de sécurité et lança le moteur qui démarra en pétaradant. Elsa ferma les paupières, très fort, et ne les rouvrit que vingt minutes plus tard, en entendant la voix de Jasper.

— Tenez, voilà le ranch, en bas, sur votre droite.

Elsa pour sa part, ne voyait que les cimes impressionnantes des Montagnes Rocheuses surplombant une vaste étendue désertique, et contre lesquelles elle était sûre qu'ils allaient s'écraser. Le bimoteur plongea soudain en avant, et elle retint sa respiration. Les roues touchèrent le sol de la piste en rebondissant et quelques dizaines de mètres plus loin, l'appareil s'immobilisa enfin. Sauvée ! Jasper sauta souplement au sol et fit le tour de l'avion pour la recevoir dans ses bras.

— Alors, ce ne fut pas si terrible ?

— Maintenant que je suis à terre, je reconnais que c'est un moyen de transport très pratique !

Quelques instants plus tard, ils montaient dans la jeep du ranch, que Jasper avait laissée près du hangar à avions. Tandis qu'ils roulaient, Elsa regardait défiler le paysage : patiemment gagnées sur le désert, s'étendaient des prairies d'herbe verte où pâturaient des centaines de têtes de bétail. Quelques spécimens attirèrent son attention : une race de vaches sans cornes dont elle avait entendu parler, mais qu'elle n'avait encore jamais vue.

— Jeff a acheté ses premières bêtes l'an passé, expliqua Jasper, remarquant son intérêt. Elles ont l'air de bien s'acclimater. C'est une race très résistante à la sécheresse. Je crois que nous allons en entreprendre l'élevage.

Tout en écoutant son compagnon, Elsa l'observait du coin de l'œil. Jasper Clayton était fort beau garçon ! Il paraissait aussi détendu au volant de la jeep que derrière les manettes de son avion et il ne parlait pas avec cet accent traînant typique des cow-boys de l'Arizona.

Il est certainement marié, songea-t-elle avec une moue désabusée. Les hommes qui m'intéressent sont toujours mariés !

A cet instant, le souvenir du regard gris et pénétrant de Jeff Wagner traversa son esprit et elle battit imperceptiblement des paupières. Lui aussi devait être chef de famille...

Bientôt ils quittèrent la grand-route et s'engagèrent sur une petite route qui longeait des champs de blé en herbe et débouchait devant un grand bâtiment bas de couleur ocre rosée, d'architecture mexicaine, avec une rangée de cèdres clair qui courait le long du mur de façade.

— Comme c'est beau, murmura Elsa, ravie.

— C'est la maison de Jeff. Là, à droite en contrebas, vous apercevez celle de Steve Hilton, le contremaître, que vous connaissez, je crois. Il vit là avec sa femme, Janie. Un peu plus loin, la maison du vétérinaire. Derrière, les dortoirs des cow-boys. A la pleine saison, nous employons plus de cinquante personnes.

Il arrêta la jeep devant la grande maison.

— Venez, je vais vous faire faire le tour du propriétaire. Jeff s'est absenté quelques jours. Il a emmené sa petite fille, Amanda, à l'hôpital de Baltimore, pour des examens...

Il parut hésiter, puis ajouta, très vite :

— Amanda est sourde.

Elsa tressaillit et tourna la tête vers lui, attendant d'autres explications, mais comme Jasper gardait le silence, elle ajouta :

— Vous voulez dire... complètement sourde ?

— Oui, apparemment. Un accident lorsqu'elle avait deux ans. Jeff l'a emmenée voir les plus éminents spécialistes. Cette visite à Baltimore est son dernier espoir.

Elsa ne s'était donc pas trompée : Jeff Wagner était marié. Elle se sentit soudain remplie de compassion pour lui et sa famille, tandis que le beau visage ridé de Roma, sa mère adoptive, se dessinait devant ses yeux. Mille questions lui brûlaient les lèvres, mais déjà Jasper poussait une porte à deux battants et s'effaçait pour la laisser entrer. Ils pénétrèrent dans une cuisine blanche et ensoleillée où s'activait une femme à la peau brune, aux joues rebondies et au sourire jovial.

— Elsa, je vous présente Lily, notre cuisinière en chef. Elle accomplit chaque jour le miracle de nourrir toutes les bouches affamées du ranch.

— Bonjour, Lily, fit Elsa en lui tendant la main. Comment allez-vous ?

— Très bien, Miss Whitelake. Excusez ma franchise, mais à mon avis, vous êtes bien trop jolie pour soigner des vaches !

En riant, Jasper et Elsa poursuivirent la visite de la maison. Les pièces étaient simplement meublées d'un mobilier mexicain en bois foncé et brillant.

Curieusement, aucun détail ne rappelait la présence de la maîtresse des lieux.

— Et maintenant allons dire bonjour à Steve, proposa Jasper.

Ils se dirigèrent vers une jolie maison de bois et de pierre, entourée d'un jardin où en cette saison fleurissaient des crocus multicolores et des narcisses parfumés.

Jasper frappa à la porte et aussitôt, un visage avenant apparut dans l'entrebâillement.

— Entrez donc, invita Jamie avec un grand sourire. Steve ! Viens vite ! Jasper et Miss Whitelake sont arrivés. Venez, le café est tout chaud.

Steve Hilton s'avança et tendit la main à la jeune femme.

— Je suis content de vous revoir, Miss Whitelake.

Ils s'assirent devant la grande cheminée et prirent le café en bavardant. Elsa posa quelques questions sur le fonctionnement du ranch et Steve saisit l'occasion pour lui proposer de visiter les environs.

Elsa suivit les deux hommes jusqu'au premier corral, remarquant au passage que les écuries étaient impeccablement tenues. Dans un petit enclos attenant au corral gambadaient un petit âne et une chèvre blanche, qui semblaient faire bon ménage.

— Voici Charlie et Dolly, les deux amis d'Amanda. Quand elle n'est pas là, ils sont insupportables !

— Comme il est mignon ! s'exclama Elsa en voyant l'ânon sautiller.

Elle se représenta l'image de la petite fille s'amusant avec lui. Hélas, Amanda ne pouvait entendre le curieux braiement de l'animal, qui ressemblait parfois à un sanglot...

— Mes amis, je dois vous laisser, annonça soudain Jasper. Le travail m'attend. A tout à l'heure.

Il s'éloigna en sifflotant un air célèbre de la « country-music », Cotton-Eye Joe.

— Jasper est l'homme de loi de la famille, expliqua Steve en se tournant vers la jeune femme.

— De la famille ? releva-t-elle, intriguée. Vous êtes parents ?

Steve se mit à rire.

— Non, pas du tout. Mais Jasper, Jeff et moi-même appartenions à la même unité, au Viêt-nam. Nous nous étions juré de ne plus nous quitter, si nous nous en sortions vivants, tous les trois. Jasper et Jeff étaient pilotes, moi, navigant. Voilà. A notre retour, Jeff nous a embauchés, comme promis.

— Etes-vous originaire de l'Arizona ?

— Non, je suis né dans l'état de Washington. Je travaillais pour une compagnie de navigation. Quant à Jasper, il vient du Colorado. Il débutait une brillante carrière d'avocat quand il a été appelé sous les drapeaux.

A ce moment, une silhouette voûtée sortit en boitillant des écuries.

— Tiens, justement, voici Hammett, notre vétérinaire. Monsieur Hammett ! Venez par ici... Je vous présente Miss Whitelake, qui est candidate pour vous succéder.

— Enchanté de vous connaître, dit Hammett en souriant. Voici donc ma future remplaçante...

— Il ne faut pas vendre la peau de l'ours, l'arrêta aussitôt la jeune femme.

— Hmm... j'ai du flair, vous savez.

— Hammett, m'autorisez-vous à faire visiter votre maison à Miss Whitelake ? demanda Steve.

— Je... je ne veux surtout pas déranger M. Hammett, s'inquiéta Elsa alors qu'ils se dirigeaient tous deux vers la maison du vétérinaire.

— Hammett ne vit plus ici depuis le décès de sa femme, voilà un an. Il dit que la maison est trop grande pour lui. Il a déménagé dans les dortoirs des cow-boys ; au moins là-bas, il y a de la compagnie.

C'était une jolie maison en rondins, entourée d'arbustes et de buissons odorants.

— Vous savez, Steve, je n'ai jamais fait un tel travail, lui dit-elle tandis qu'ils se promenaient dans le jardin. La proposition de M. Wagner m'effraie un peu...

— Rassurez-vous, il y a une excellente école vétérinaire à Tucson. Si vous avez besoin d'un coup de main, nous ferons appel à eux. Et Hammett vous sera d'un précieux conseil...

Le ciel s'assombrissait en cette fin d'après-midi, enveloppant les cimes découpées d'un manteau bleu nuit. Au-delà des prairies, le désert s'étendait jusqu'aux canyons profonds et mystérieux de la sierra. Elsa respira à pleins poumons l'air piquant et parfumé par les plantes du désert. Décidément, cet endroit lui plaisait...

Ils dînèrent tous ensemble dans la grande cuisine de Lily. Elsa mangea de bon appétit les délicieuses côtes de porc accompagnées d'épis de maïs doux et sucrés et de salades. C'est à peine si elle put avaler une bouchée de l'appétissante tarte aux pommes à la cannelle qu'apporta Lily à la fin du repas.

— Ah Lily, je ne pourrai jamais garder la ligne en mangeant tous les jours chez vous, soupira Jamie, dont les formes rondelettes trahissaient le bon appétit. Demain matin, une demi-heure de jogging supplémentaire s'impose !

Elsa étouffa un bâillement involontaire, que Steve remarqua aussitôt.

— Vous devez être fatiguée, Miss Whitelake. Nous avons préparé une chambre chez nous. Venez, rentrons.

Le lendemain matin, Elsa se leva très tôt et sortit se promener, alors que la boule orangée du soleil émergeait à peine derrière les crêtes des montagnes. Chemin faisant, elle rencontra Hammett, occupé à étriller Charlie. L'âne se laissait faire, les yeux fermés, et son flanc bourru frissonnait sous chaque coup d'étrille.

— Petit voyou, murmura affectueusement le vétérinaire en lui grattant la tête. Vous voyez, Miss Whitelake, le ranch Wagner est un endroit très agréable. L'atmosphère y est sympathique, les salaires élevés. Si la vie de la ville ne vous manque pas trop, c'est un lieu idéal pour travailler.

Son doux regard se posa sur la main sans anneau de la jeune femme.

— Malheureusement, il n'y a guère de distractions, pour une jeune femme de votre âge.

— Les cow-bows ont toujours su s'amuser, monsieur Hammett. Il doit y avoir des bals, le samedi.

— En effet. Une fois par mois à Tucson et chaque samedi à Tombstone. Jeff est un très bon danseur et un excellent animateur. Et il joue aussi de l'harmonica !

— Jeff ?

— Oui, votre patron. Enfin, votre futur patron, si vous acceptez ce travail.

Elsa se garda de répondre. Elle imaginait mal l'austère Jeff Wagner en train de danser le quadrille !

— Monsieur Hammett, sans vouloir être indiscrète, savez-vous combien de candidats ont répondu à l'annonce ?

Le vétérinaire se gratta la tête.

— Je ne saurais vous dire exactement. Plusieurs personnes sont venues, mais Steve est très exigeant. Il craint qu'au bout d'un certain temps, les gens ne supportent pas l'isolement.

— On parle de moi ? fit la voix de Steve, juste derrière eux. Bonjour Hammett. Bien dormi, Elsa ? Allons prendre un bon petit déjeuner, ensuite je vous emmènerai visiter les campements.

Quelques heures plus tard, ils arrivaient au campement n° 18, au pied de la montagne du Dragon. Steve lui présenta le chef de camp, un métis nommé Carue. Celui-ci dévisagea longuement la jeune femme, les yeux plissés.

— Métier... trop dur pour une femme, bougonna-t-il entre ses dents.

C'était la première fois depuis son arrivée au ranch qu'on lui faisait ce type de remarque.

— Pourquoi, monsieur Carue ? demanda-t-elle en relevant le menton.

— Ici, il n'y a aucun confort. Pas de douches, pas de toilettes, pas de miroirs pour une belle dame comme vous.

Steve écoutait leur échange verbal sans intervenir. Il avait vu les yeux turquoise de la jeune femme s'assombrir sous l'effet de la colère, mais il connaissait aussi le véritable motif de la méfiance de Carue : la crainte de la réaction de ses hommes, rudes et solitaires, mis en présence d'une présence féminine...

— Monsieur Carue, poursuivit Elsa d'une voix douce, vous auriez dû voir l'endroit où j'ai été élevée. Votre camp ressemble à un palace, en comparaison. Et puis rassurez-vous, rien ne prouve que j'obtiendrai cette place...

Elle s'éloigna, la tête haute, consciente du regard aigu du métis posé sur elle.

Ils remontèrent dans la jeep et continuèrent leur promenade.

— Nous avons numéroté les campements de un à vingt pour des raisons pratiques, expliqua Steve. Ils sont si éloignés les uns des autres que nous avons établi un système de communication par radio. Ainsi, lorsqu'un homme se trouve dans une situation délicate, une équipe peut se porter à son secours relativement vite, même en hélicoptère. Oh, à propos, à quelle heure décolle votre avion ?

— Vingt heures quarante-cinq, je crois.

— Je vais prévenir Jasper. Il faudrait quitter le ranch vers dix-huit heures trente.

Tandis qu'ils roulaient vers le ranch, Elsa regardait tout autour d'elle. Des silos à grains et des éoliennes se dressaient, ici et là, coupant l'ondulation monotone des prairies.

— C'est magnifique, murmura-t-elle.

Steve l'observait à la dérobée, admirant son fin profil, la couleur si belle et si rare de ses yeux en amandes, la lourde frange de cheveux noirs qui barrait son front. Il sourit. Les gens qui aimaient le désert lui étaient toujours sympathiques.

— Elsa, j'aimerais que vous acceptiez ce poste.

La jeune femme sentit son cœur bondir dans sa poitrine et retint sa respiration. Rêvait-elle ?

— Si vous hésitez, dites-le-moi franchement, reprit Steve, surpris par son silence. Vous savez, je ne plaisante pas en vous parlant de la difficulté de ce travail. Vous serez souvent seule...

Il s'interrompit puis reprit précipitamment :

— Ma femme serait heureuse de vous avoir pour amie. Elle vous trouve très agréable !

Elsa avait encore une question importante à lui poser.

— Et Rio et Rebus ? Pourrai-je les emmener ici avec moi ?

— Bien entendu. La maison est grande. Quel âge a Rio ?

— Dix-sept ans. Il doit terminer ses études au collège au mois de mai.

Elle le regarda bien en face.

— Je vous préviens tout de suite, Steve : j'ai un faible pour les brebis égarées. Qu'en penseront M. et Mme Wagner ?

Le contremaître haussa les sourcils.

— Vous n'êtes donc pas au courant ? Jeff vit seul ici avec Amanda. Sa femme, Myra, est décédée il y a quatre ans.

Ainsi donc, Jeff Wagner était veuf... Pourquoi l'annonce de cette nouvelle la bouleversait-elle à ce point ?

— Elsa, Jeff m'a confié le soin d'engager le vétérinaire en son absence. Voudriez-vous me rappeler lorsque vous aurez réfléchi ?

La jeune femme hocha la tête et sourit. Ce ne fut qu'en arrivant devant la maison qu'elle reprit la parole.

— Amanda parle-t-elle par signes ?

— Oui, bien sûr. Ici, au ranch, tout le monde la comprend. Surtout Hazel, la fille de Lily, qui s'occupe d'elle.

— Steve, qu'est-il arrivé à sa mère ? Elle devait être très jeune...

— Vingt-six ans. Un terrible accident de voiture, à une trentaine de kilomètres d'ici.

La voix de Steve se fit lointaine.

— Nous avons cru que Jeff allait devenir fou. Myra morte et sa petite fille accidentée. Quelle tragédie...

Elsa parcourut le ranch des yeux. Cet endroit plairait-il à Rio ? Pour sa part, son choix était fait.

— Steve ? Je crois que je suis décidée. J'accepte ce travail.

Chapitre 3

Grâce à l'aide de Steve, Jamie et Jasper, le déménagement se déroula dans une atmosphère joyeuse et détendue. Le vendredi qui suivit son arrivée au ranch, Elsa alla passer la soirée chez les Hilton.

Assise sur le canapé, un verre de sherry à la main, elle écoutait Steve et Jasper évoquer leurs souvenirs de la guerre du Viêt-nam, quand soudain on frappa à la porte. Steve se leva pour aller ouvrir.

— C'est toi Jeff ? Entre...

Jeff était resté plus longtemps que prévu à Baltimore, et c'était la première fois qu'Elsa le revoyait depuis leur entrevue d'El Paso, elle ressentit un malaise inexplicable.

Il lui tendit une main amicale.

— Bonsoir, Miss Whitelake. Etes-vous bien installée ? s'enquit-il en plongeant son regard gris dans le sien.

— Oui, merci. Vos... vos amis m'ont beaucoup aidée, bredouilla-t-elle, intimidée.

— Alors, Jeff, quelles nouvelles pour Amanda ? s'inquiéta Jamie.

Ce dernier secoua la tête avec lassitude.

— Les tests n'ont rien donné. Cela ne me surprend pas tellement...

— Comment va-t-elle ?

— Un peu fatiguée. Hazel vient de la mettre au lit. D'ailleurs, je crois que je ne vais pas tarder à suivre son exemple. Je suis épuisé.

Elsa profita de l'occasion pour s'éclipser, non sans avoir promis à ses amis de les retrouver le lendemain soir au bal de Tucson.

— Attention ! Le port du pantalon est interdit pour les femmes, plaisanta Steve. Choisissez votre plus jolie robe !

En sortant de chez les Hilton, elle s'attarda à contempler le ciel étoilé. Le vent frais du désert portait le parfum odorant des armoises et des immortelles. Elsa parcourut d'un pas rapide les quelques centaines de mètres qui la séparaient de sa maison, tout en pensant à la déception de Jeff Wagner devant la réponse négative des tests d'Amanda. Pourquoi ne pas lui parler de Linda et David Monroe ? Leur avis pouvait être intéressant. Elle avait connu Linda à l'Université du Wyoming, durant l'année préparatoire commune aux études de médecine et de médecine vétérinaire. Linda et son mari, après avoir obtenu leur diplôme, s'étaient spécialisés dans les problèmes de surdité et étaient considérés comme les meilleurs spécialistes en la matière. Ils se feraient un plaisir d'examiner la petite Amanda...

En fouillant dans sa malle de vêtements, à la recherche d'une robe pour aller danser, Elsa trouva une photographie la représentant aux côtés de Tim devant leur maison de Laramie, gaie, souriante, amoureuse... Nostalgique, elle effleura du bout des doigts le papier brillant. Tim était grand et fort. A présent, il devait être remarié et père de deux beaux enfants...

Chassant sa tristesse, elle sortit de la malle une longue jupe noire à larges plis, la mit devant elle en la lissant du plat de la main et s'examina devant la glace. Que porter avec ? Un chemisier ? Elle choisit un corsage rouge à petites fleurs noires et mauves. Un ceinturon de cuir, un léger châle, une paire de bottes, et elle serait transformée en héroïne de western !

Avant d'aller se coucher, elle se promit de se rendre bientôt à Tucson pour reconstituer sa garde-robe. Depuis son divorce, elle ne se souciait plus guère de sa tenue vestimentaire. Mais ce soir, curieusement, l'envie la prenait de redevenir coquette et féminine !

Elle rencontra Amanda le lendemain matin, alors qu'elle aidait Hammet à faire entrer un veau rétif à l'intérieur du corral. La petite fille, qui courait le long des écuries, la heurta sans la voir.

— Hou là là ! s'exclama Elsa en retenant l'enfant pour l'empêcher de tomber.

En se penchant, elle découvrit deux immenses yeux gris, très clairs, qui l'observaient intensément. Elle recula d'un pas, s'accroupit, et employa le langage des sourds-muets qu'elle avait appris dès son plus jeune âge.

— Bonjour. Je m'appelle Elsa. Et toi ?

Le regard grave de l'enfant l'étudia comme pour la jauger, puis un beau sourire vint illuminer son visage. Ses doigts bougèrent très vite pour répondre.

— Tu sais bien parler comme moi. Je m'appelle Mandy et j'ai six ans. Tu viens voir Charlie ?

Elle prit Elsa par la main et la guida jusqu'à l'enclos. L'ânon exécuta des bonds de cabri lorsqu'il reconnut sa jeune amie. Celle-ci sortit un morceau de sucre de sa poche qu'elle lui tendit sur le plat de la main. Elsa contemplait la scène avec attendrissement, maudissant les médecins qui avaient abandonné l'espoir de redonner l'usage de la parole à l'enfant. Si c'était ma fille, je ne me déclarerais pas battue, songea-t-elle avec amertume.

Elle quitta Mandy à regret, non sans l'avoir invitée à venir goûter chez elle quand elle voudrait. Elle discuta ensuite avec Hammett des soins de la journée, puis rentra chez elle, décrocha son téléphone et composa le numéro de Linda, dans le New-Jersey.

— Bonjour. Docteur Monroe, à l'appareil.

Elsa sourit en entendant la voix de son amie.

— Ici le docteur Whitelake.

— Elsa ! Quelle surprise ! D'où m'appelles-tu ? Il y a si longtemps que tu ne m'as pas donné de tes nouvelles...

— Je suis perdue dans le désert de l'Arizona. Comment allez-vous, dans l'Est ?

— Très bien. David est déjà parti à la clinique et

je m'apprête à le rejoindre. Quand vas-tu te décider à nous rendre visite ?

— Bientôt, peut-être. Linda, puis-je te demander une faveur ?

Très rapidement, elle lui exposa le cas d'Amanda.

— Je l'examinerai volontiers, répondit aussitôt Linda, si tu parviens à persuader M. Wagner de m'amener sa fille.

Après avoir raccroché, Elsa se cala contre le dossier de son canapé en soupirant. Comment communiquer à Jeff Wagner la confiance absolue que lui inspirait Linda et David ? Les experts avaient peut-être raison, mais pour sa part, elle ne serait convaincue de la surdité totale de l'enfant qu'après le diagnostic des Monroe.

Elle se souvint de sa première rencontre avec Linda : un matin, alors qu'elle attendait l'autocar, elle avait aperçu une voiture roulant à vive allure qui se dirigeait droit sur une jeune femme blonde, à quelques mètres d'elle. Elsa avait juste eu le temps de l'empoigner à bras le corps, de la plaquer au sol et de rouler avec elle sur le trottoir, évitant de justesse le véhicule emballé. Finalement, il n'y eut qu'un bras cassé, celui de Linda, quelques contusions pour Elsa et le choc subi par le conducteur du véhicule. A la suite de ce mémorable épisode, Elsa et Linda étaient devenues de grandes amies, et cette amitié ne s'était jamais démentie au fil des ans.

Contente d'elle-même, Elsa entreprit de faire le ménage de fond en comble. Quel dommage que Rio ne soit pas là, ils auraient pu aller se promener ensemble dans le désert. Mais il devait d'abord terminer son année scolaire à El Paso. Le remplaçant d'Elsa avait accepté de le garder avec lui, en échange de quelques menus travaux à la clinique.

En début d'après-midi, elle quitta le ranch pour Tucson, au volant de sa camionnette. Sur le siège avant, à côté d'elle, était posée la guitare qui ne la quittait jamais. Depuis le jour où Lon lui avait fabriqué son premier instrument, elle n'avait jamais cessé de jouer, pour son plaisir et celui de ses amis. Arrivée en ville, elle s'acheta un jean, un tee-shirt et un jeu de cordes pour sa guitare, déjeuna d'un sandwich, puis se rendit à l'hôtel où elle devait retrouver Steve et Jamie.

Là, elle changea les cordes de sa guitare et plaqua quelques accords mélancoliques en fredonnant une chanson d'amour. La chanson que Tim... Ses doigts s'immobilisèrent sur le manche de l'instrument. Plus de deux ans s'étaient écoulés depuis leur séparation et la douleur était encore là, sourde, tapie au fond de son cœur.

De façon inattendue, le visage de Jeff Wagner vint se superposer à celui de Tim, avec ses yeux gris qui semblaient vouloir percer l'âme des gens. Elle secoua la tête pour chasser son image, puis elle s'allongea sur le lit où elle ne tarda pas à s'endormir.

— Elsa ! Hou-hou ! Es-tu là ? C'est nous ! fit la voix de Jamie derrière la porte.

La jeune femme sursauta, passa la main dans ses cheveux et consulta sa montre. Sept heures ! Elle avait dormi plus de deux heures.

— Pardonne-nous d'être en retard, s'excusa

Jamie dès qu'Elsa eut ouvert la porte, mais nous avons attendu Jeff. Il voulait venir avec nous.

En effet, Jeff Wagner apparut dans l'encadrement de la porte, derrière Steve.

— Je suis désolée, balbutia Elsa, rouge de confusion, je n'ai réservé qu'une chambre pour Steve et Jamie. Je ne savais pas que vous veniez.

— Aucun problème, répondit celui-ci en souriant, le propriétaire du motel est un ami. Il me trouvera bien un petit coin pour dormir !

Quelques instants plus tard, ils montèrent tous les quatre dans la jeep de Steve pour se rendre à la salle de bal. L'orchestre, composé de deux guitares, d'une batterie, d'un banjo et d'un piano, était excellent, et la verve des animateurs des quadrilles ajoutait à la bonne humeur ambiante.

Steve ne dansa pas, mais alla s'installer au milieu de l'orchestre, battant des pieds et des mains au rythme de la musique. Elsa se souvint qu'il adorait la musique « country » et qu'il jouait de plusieurs instruments. D'ailleurs, à l'occasion d'une pause des musiciens, elle le vit prendre la place du guitariste. Rassemblant tout son courage, elle prit sa guitare et alla s'installer à côté de lui. Une vive surprise se peignit sur le visage de Steve.

— Tu joues ? demanda-t-il en la voyant pincer les cordes.

— Un peu...

— Tu ne chanterais pas aussi, par hasard ?

Un éclair amusé brilla dans les yeux turquoise de la jeune femme.

— Un peu...

— Connais-tu « Old Flames » ? Joe Sun en a fait une adaptation très intéressante.

Elsa hocha la tête en souriant. Ils s'accordèrent, puis oubliant le public, entamèrent le morceau, bientôt suivis par le piano. Dès le deuxième couplet, la voix chaude et voilée d'Elsa souleva l'enthousiasme du public, qui se mit à siffler pour l'encourager. Steve lui adressa un clin d'œil, et à la fin de la chanson, ils attaquèrent aussitôt « Even Cowgirls Get the Blues ». Ils jouèrent et chantèrent ainsi durant un bon moment jusqu'à ce que les musiciens reviennent à leurs instruments. L'assistance leur fit une véritable ovation, sifflant et applaudissant à tout rompre.

Elsa alla ensuite s'asseoir à la table où Jeff buvait un whisky avec quelques amis.

— Ouf ! j'ai eu peur ! s'exclama-t-elle en lissant nerveusement les plis de sa jupe.

— Cela ne se voyait pas, la complimenta-t-il. Vous n'avez jamais chanté en professionnelle ?

— Oh non ! je ne suis pas assez douée...

Une nouvelle fois, les yeux gris de Jeff la scrutèrent intensément.

— Dommage... Vous auriez dû essayer.

Elsa sourit.

— Franchement, je préfère mon métier.

Tom Pardue, du ranch Kingston, vint lui proposer de danser avec lui le quadrille suivant. Elle virevolta ainsi dans les bras de plusieurs cow-boys, avant que Jeff ne vienne d'autorité l'enlever à son cavalier.

— Attention à vous, lui glissa-t-il à l'oreille, les

cow-boys apprécient particulièrement les jolies filles.

— Il faut dire que les femmes sont minoritaires, lui fit observer Elsa. Regardez autour de vous : on ne voit que des chapeaux !

A cet instant, une question lui traversa l'esprit : Jeff Wagner avait-il une nouvelle femme dans sa vie ? Sans aucun doute. L'un des hommes les plus riches et les plus séduisants de l'Arizona ne pouvait pas rester longtemps célibataire...

— Je meurs de faim ! annonça Jeff lorsqu'ils quittèrent le bal, vers onze heures du soir. Steve, crois-tu qu'on acceptera de nous servir, dans ce petit restaurant mexicain où nous avons dîné le mois dernier ?

— Certainement ! Allez hop ! Embarquez, on y va !

On leur servit un pot-au-feu excellent, quoiqu'un peu étouffant, et de retour dans la voiture, Elsa se plaignit d'avoir trop mangé. Un chœur de protestations amusées l'accueillit.

— Vous perdrez toutes ces calories en courant après le bétail en liberté, plaisanta Jeff, assis à l'arrière à côté d'elle. A propos, vous ne nous avez jamais dit ce qui vous avait poussée à choisir ce métier...

— Quand j'étais enfant, je passais mes journées dans les bois avec mon père, qui m'a tout appris sur les animaux sauvages...

Elle ferma les yeux, perdue dans ses souvenirs, inconsciente du regard aigu de Jeff posé sur ses lèvres pleines, où flottait un perpétuel sourire...

Ils se séparèrent devant le motel, en se promettant de se retrouver le lendemain matin au petit déjeuner, avant de rentrer tous ensemble au ranch.

Elsa dormit assez mal, d'un sommeil agité, entrecoupé de cauchemars qu'elle attribua au repas trop copieux du restaurant mexicain. Vers six heures, elle se leva, prit une douche rapide et descendit à la cafétéria, espérant la trouver ouverte à une heure si matinale.

Un monsieur d'un certain âge et un couple et ses deux enfants y étaient déjà attablés devant un appétissant petit déjeuner. A peine s'était-elle installée sur le fauteuil de moleskine rouge que la voix de Jeff lui fit relever la tête.

— Bonjour, Elsa. Vous êtes bien matinale...

La jeune femme eut honte de sa mauvaise mine et de ses yeux cernés, alors que Jeff, rasé de près et fleurant bon une eau de toilette au vétiver, paraissait au mieux de sa forme.

— Vous désirez, messieurs-dames ? s'enquit la serveuse avec un charmant sourire.

— Un café, s'il vous plaît. Noir et serré.

— Pour moi aussi, ajouta Jeff. Vous ne prendrez rien d'autre ?

— Non merci. Je n'ai vraiment pas faim. Savez-vous si les Hilton sont réveillés ?

— A cette heure-ci ! Impossible ! Steve et Jamie sont de très grands dormeurs.

La serveuse leur apporta le café, qu'ils dégustèrent en silence. Alors que Jeff portait la tasse à ses lèvres un rayon de soleil vint éclairer son visage, soulignant l'éclat de ses prunelles ombrées de longs cils noirs.

— Amanda a les mêmes yeux que vous, remarqua la jeune femme, presque malgré elle. Un peu plus clairs, peut-être...

Elle se pencha en avant et posa son menton sur ses deux mains croisées.

— Jeff, êtes-vous vraiment certain qu'il n'y a plus d'espoir ?

Elle le vit serrer les mâchoires.

— Oui.

— Je vous en prie, écoutez-moi. Je sais que vous avez consulté les meilleurs spécialistes, mais...

Jeff l'interrompit d'un geste las.

— Je ne veux plus entendre parler de ces tests. A chaque fois on me répète le même refrain...

La jeune femme s'entêta.

— Je connais deux pédiatres, spécialisés dans la surdité infantile. Ce sont d'excellents amis. Laissez-moi leur parler du cas d'Amanda.

Jeff secoua la tête.

— C'est très gentil à vous, mais je n'y tiens pas.

— Mais ils pourraient...

— J'ai dit « non », Miss Whitelake.

Ils finirent de boire leur café en silence.

— Je crois que je vais rentrer au ranch, annonça enfin Elsa. Je crains que Steve et Jamie ne dorment toute la journée.

— Puis-je rentrer avec vous ?

— Bien sûr. Nous pouvons partir tout de suite, si vous voulez.

— Je vais glisser un mot sous la porte de Steve,

dit Jeff en se levant. Je vous rejoins dans cinq minutes.

Quelques instants plus tard, Elsa lançait sa vieille camionnette sur l'autoroute qui reliait Tucson à Tombstone.

— Comment s'appelle cette chanson ? demanda soudain Jeff, alors qu'ils roulaient depuis plus d'une heure.

Elsa lui jeta un regard surpris.

— Quelle chanson ?

— Celle que vous fredonnez depuis plusieurs kilomètres…

— C'est une vieille chanson indienne, qui parle du temps qui passe…

Jeff hocha la tête, puis enfonça son chapeau sur son front et se cala contre le siège usé de la camionnette.

— Chantez-la-moi, s'il vous plaît…

Chapitre 4

De violentes rafales de vent faisaient tourbillonner les pétales rouges des fleurs d'amarante dans les rues de la petite ville de Douglas, où Elsa et Rio s'étaient arrêtés pour déjeuner.

Rio partit acheter une bande dessinée, et Elsa termina son repas tout en contemplant le ruban gris de la route qui les mènerait, par-delà la montagne du Dragon, jusqu'au ranch Wagner.

On était au début du mois de juin. Rio avait brillamment terminé ses études secondaires et Elsa était partie le chercher à El Paso pour le ramener au ranch. Elle avait tenu à prendre la longue nationale qui passait par Lordsburg, New Mexico, à travers le désert de l'Arizona, afin que Rio découvre le paysage dans lequel il allait vivre désormais.

Rio tardait à revenir. Machinalement, Elsa tourna la tête sur le côté et aperçut trois hommes de dos, vêtus de jeans poussiéreux et de chemises à carreaux, qui lui barraient le passage. La jeune femme fit signe au serveur, lui paya l'addition et se dirigea vers le petit groupe.

— Hé, amigo, disait l'un des hommes à Rio, tu as l'air bien pressé…

Rio porta amicalement la main à son chapeau pour le saluer et chercha à l'éviter, mais un deuxième cow-boy se planta devant lui, l'empêchant de poursuivre son chemin. Il était clair qu'ils lui cherchaient des ennuis, sans doute à cause de son type mexicain.

Elsa arriva à leur hauteur.

— Tout va bien, Rio ? demanda-t-elle d'un ton dégagé, sans toutefois quitter des yeux l'homme barbu qui se tenait le plus près d'elle.

Le cow-boy sourit, exhibant une rangée de dents ébréchées, jaunies par le tabac. Ses yeux bleu pâle quittèrent un instant le jeune homme pour se poser sur la fine silhouette d'Elsa.

— Hé, Hank, il connaît cette jolie dame. Il en a de la chance…

— Rio, je suis prête à partir. Tu viens ? reprit-elle d'un ton calme.

Le dénommé Hank ricana.

— Tu entends, Luke ? Elle veut l'emmener avec elle, sans même nous avoir dit bonjour. Ce n'est pas poli…

Tout en parlant, il avait glissé son bras autour de la taille de la jeune femme. Elsa vit son visage grimaçant se rapprocher du sien et sentit son haleine qui empestait le tabac et le whisky.

Le moment était venu. Elle se laisssa aller de tout son poids contre lui pour le déséquilibrer et, d'un geste vif, lui écrasa le dessus du pied avec le talon de sa botte, tout en lui portant un violent coup de genou à l'aine. Avec un cri de douleur, l'homme la relâcha, mais il n'aperçut pas le coude le jeune femme qui vint le frapper derrière l'oreille. Il tomba à la renverse sur la chaussée aux pieds de ses comparses. Un instant interdits, ceux-ci se ressaisirent et s'avancèrent vers elle, la mine patibulaire.

Calmement, Elsa glissa ses pouces dans son ceinturon et déclara d'une voix douce :

— Essayez seulement de me toucher, et je hurle au viol ; je vous préviens que l'on m'entendra jusqu'à Tucson. Tu viens, Rio ?

Très pâle, ce dernier passa à côté de l'homme assis sur le sol, qui se massait l'oreille. L'incident n'avait duré que deux ou trois minutes et apparemment aucun passant n'avait rien remarqué.

Elsa et Rio regagnèrent la camionnette garée en bas de la rue, où Rebus, assis sur le siège avant, les accueillit avec force aboiements. Elsa se glissa au volant et Rio s'assit à côté d'elle, le chien sur les genoux. Ils quittèrent Douglas sans se retourner...

A l'arrière de la camionnette, sous une bâche, se trouvaient les bagages de Rio, ses cartons à dessin, son chevalet et ses boîtes de peintures et aussi les quelques affaires qu'Elsa n'avait pu emporter lors de son premier déménagement, en particulier des cartons d'ouvrages vétérinaires.

Tout en conduisant, Elsa réfléchissait. Elle aurait dû laisser à Rio plus de temps pour se décider à venir vivre avec elle... A dix-sept ans, parviendrait-il à s'adapter à la vie rude et monotone du ranch ? Elle se sentait coupable de ne pas lui avoir laissé le choix. Rio était un garçon peu enclin à se livrer...

— Rio, préfères-tu vivre avec moi ou aller partager une chambre dans les dortoirs des cow-boys ?

Le jeune Mexicain haussa les épaules.

— Je ne sais pas. Je verrai bien sur place...

Ils arrivèrent au ranch en fin d'après-midi. La première personne qu'ils rencontrèrent fut Hammett, occupé à cirer une selle en cuir.

— Tiens, voilà notre ami Charlie, dit Elsa en voyant l'âne s'approcher en se dandinant. Amanda ne doit pas être loin.

— Hélas non, Miss Whitelake, Jeff l'a emmenée à Tucson avec Hazel. Savez-vous que vous nous avez manqué ? ajouta-t-il en souriant.

La jeune femme rosit, sachant que la phrase anodine cachait un grand compliment. Hammett l'avait immédiatement acceptée comme sa remplaçante et lui apprenait tout ce qu'il savait sur son métier.

Les doutes d'Elsa quant aux problèmes d'adaptation de Rio furent bien vite dissipés. Apparemment rien ne lui manquait de la vie citadine, excepté son hamburger quotidien. Accompagnés de Rebus, ils visitaient chaque jour les campements sous le soleil torride des premiers jours de juin, et leur trio devint rapidement célèbre parmi les cow-boys du ranch. Rio emportait toujours avec lui quelques ouvrages vétérinaires et les étudiait même dans les baraques de campement, à la lumière des lampes à pétrole.

— Il est trop tard pour t'inscrire à l'Ecole Vétérinaire de Tucson, lui dit Elsa un soir, mais que dirais-tu de commencer tes études au prochain semestre ?

Le jeune homme posa le livre qu'il était en train de lire.

— Elsa, je sais que cela va te coûter beaucoup d'argent, mais je te promets de travailler pour te rembourser, dit-il d'un ton grave.

— Tâche de réussir tes études, observa-t-elle en souriant. Pour le reste, je me débrouillerai !

Durant plus de deux semaines, les veaux et les poulains nouveau-nés occupèrent toutes leurs journées. Ils devaient les vacciner, les marquer. L'ancienne méthode de marquage au fer rouge avait été abandonnée au profit de l'étiquetage d'agrafes métalliques aux oreilles, plus rapide et indolore. Plusieurs centaines de bêtes passèrent ainsi entre leurs mains et en quinze jours, ils devinrent de véritables experts en la matière !

Chaque samedi Elsa se rendait au bal de Tombstone en compagnie des Hilton et de Jasper. Quant à Rio, il passait le plus lair de son temps chez Richard Sandoval, le maréchal-ferrand. L'aînée de ses six enfants, Nada, était une ravissante jeune fille de dix-sept ans, aux longs cheveux bruns et aux grands yeux noirs, dont Rio était tombé éperdument amoureux...

Tous deux avaient été invités au grand barbecue que Jeff organisait chaque année au mois d'août. Ce soir-là, lorsqu'Elsa rentra de son travail, la fête battait déjà son plein. Les cow-boys avaient allumé de grands feux et faisaient rôtir d'appétissantes brochettes.

Ces fumets alléchants aiguisèrent l'appétit de la

jeune femme ; mais elle devait d'abord rentrer chez elle pour prendre une douche et se changer. Elle trouva un mot de Rio sur la table de la cuisine, la prévenant qu'il passait la soirée avec les Sandoval.

En sortant de la salle de bains, elle brossa énergiquement ses cheveux pour les rendre lisses et brillants, se maquilla légèrement et enfila une salopette de toile blanche, qui rehaussait son teint hâlé, avec un corsage jaune pâle.

Elle se rendit ensuite à pied jusqu'à la grande maison, pour dire bonjour à Lily qu'elle n'avait pas vue depuis plusieurs jours. Au moment où elle poussait la porte, elle entendait s'élever la voix de la cuisinière, forte et coléreuse.

— Ah, c'est toi, espèce de vaurien ! Oh pardon, Miss Elsa... Je croyais que c'était ce propre à rien d'Harris. Il est parti depuis une heure, soi-disant pour aller chercher des caisses de bière, alors que j'ai besoin de lui ici !

Elsa se mit à rire.

— Laissez-le s'amuser, Lily, c'est la fête ce soir ! Moi, je vais vous aider. Dites-moi ce que je dois faire. Quelques instants plus tard, elle montait sur un escabeau dans la remise et poussait la trappe qui s'ouvrait sur l'immense grenier où étaient entreposées toutes les provisions du ranch. Elle trouva les conserves dont Lily avait besoin et commença à redescendre précautionneusement les degrés de l'échelle.

— Que diable faites-vous ici ?

Elle baissa la tête et aperçut Jeff, le visage levé vers elle.

— Je venais voir où étaient rangées les provisions, pour le cas où je mourrai de faim, dit-elle en souriant.

— Mais où est passé Harris ? s'exclama-t-il d'un air contrarié. C'est à lui de faire ce travail.

— La pauvre Lily était débordée. Je lui ai proposé de l'aider.

— Allons, passez-moi ces boîtes, dit-il d'un ton radouci. A deux, nous aurons plus vite fait.

Lorsqu'elle arriva au dernier barreau de l'échelle, Jeff la prit par la taille et la déposa comme une plume sur le sol, en la retenant quelques secondes contre lui. Elsa sentit la chaleur de ses larges mains qui faisaient presque le tour de sa taille.

Elle leva les yeux vers lui et rencontra son regard gris où brillait une étrange douceur.

— Jeff, pourrais-je vous parler un instant ?

— Bien sûr. Venez dans mon bureau, nous serons plus tranquilles.

Ils longèrent un sombre corridor au parquet verni, puis Jeff ouvrit une porte et s'effaça pour la laisser entrer.

— Après vous...

Un peu intimidée, Elsa découvrit cette pièce où elle n'était jamais entrée. Une pièce austère, aux murs couverts de livres, avec un bureau en noyer jonché de papiers, et deux confortables fauteuils de cuir.

— Des problèmes de travail ? s'enquit Jeff en fermant la porte.

— Non, tout va très bien.

Elle prit une grande inspiration et déclara tout d'une traite :

— Jeff, il faut absolument que vous acceptiez de faire examiner Amanda par le docteur Monroe.

La réponse tomba, sèche et définitive.

— Non.

Elle s'attendait à cette réaction, mais elle sentit son cœur chavirer.

— Amanda a déjà subi d'innombrables tests. Les meilleurs spécialistes m'ont affirmé qu'il n'y avait plus d'espoir.

Il marqua une pause, puis reprit, les yeux plissés :

— En quoi les problèmes de ma fille vous concernent-ils, Elsa ?

— Amanda est une enfant adorable, intelligente ! s'insurgea-t-elle. Elle a le droit d'entendre et de parler à ceux qu'elle aime. Etes-vous satisfait de la voir vous dire ainsi qu'elle vous aime ?

Joignant le geste à la parole, elle porta ses doigts à ses lèvres puis les tendit vers lui. D'un geste vif, Jeff s'empara de sa main.

— Elsa, depuis quand n'avez-vous pas entendu un homme vous dire qu'il vous aimait ?

— Nous... nous ne parlions pas de moi, bredouilla-t-elle, les joues cramoisies.

— Moi, si. Alors, depuis quand ?

Comme à chaque fois qu'il la dévisageait fixement, une langueur étrange la parcourait des pieds à la tête. Soudain, Jeff la prit par la taille, l'attira contre lui et plongea son regard dans le sien.

— Embrassez-moi, murmura-t-il, tout près de ses lèvres.

Elsa secoua la tête.

— Jeff, je vous en prie...

— Elsa... embrassez-moi.

Sous le charme de son regard magnétique, elle se détendit entre ses bras, posa les mains sur ses épaules et lui offrit ses lèvres. Les mains de Jeff glissèrent autour de sa taille, de ses hanches, pour remonter ensuite vers le creux de ses reins. Leurs bouches s'unirent en un long baiser. Il la pressait si fort contre lui qu'elle sentait la boucle de son ceinturon s'accrocher au tissu de sa salopette.

Ils restèrent ainsi enlacés de longues et merveilleuses secondes jusqu'à ce que Jeff, le premier, relève la tête.

— Mon Dieu... l'entendit-elle murmurer.

Elle recula lentement jusqu'à la porte, puis s'immobilisa, la main sur la poignée. Le regard de Jeff avait repris son insondable transparence.

— Je vous en prie, appelez Linda Monroe...

— Vous n'abandonnez jamais, n'est-ce pas ? Vous cherchez à obtenir ce que vous voulez à n'importe quel prix...

— C'est vous qui avez commencé, riposta-t-elle, blessée. J'ai seulement répondu...

— Touché, fit-il avec un sourire amusé.

— Alors... lui téléphonerez-vous ?

— Non.

Ils se mesurèrent du regard, puis, voyant qu'elle avait perdu la partie, Elsa ouvrit la porte et quitta la pièce. Une fois dehors, elle se fraya un chemin parmi la foule des invités, saluant d'un petit signe de la main toutes ses connaissances. L'orchestre jouait un quadrille endiablé et Elsa s'arrêta pour regarder les danseurs sautiller en cadence sur l'aire de bal improvisée. Elle s'approcha de Jamie qui mangeait des brochettes d'un air gourmand.

— Elsa ! Où étais-tu passée ? Tout le monde te cherche !

La femme de Steve prit soudain un air de conspirateur.

— Retourne-toi discrètement... Tu vois la grande blonde qui porte un corsage en dentelle ? C'est Eileen Mc Kane, l'héritière du ranch voisin. Le bruit court qu'elle sera bientôt la nouvelle maîtresse du ranch Wagner...

Elsa aperçut en effet une ravissante jeune femme blonde dont les cheveux coiffés en ondulations vagues auréolaient un visage parfait. Elle portait une jupe blanche fendue sur le côté, un corsage à jabot souligné par un large ceinturon et un grand chapeau blanc rejeté dans le dos.

Elsa était finalement un peu surprise d'apprendre que Jeff Wagner avait une liaison. En repensant au baiser qu'ils venaient d'échanger, elle se promit de faire preuve de prudence à l'avenir et se retrancher derrière la ligne de conduite qu'elle s'était toujours fixée : ne jamais mélanger l'amour et le travail... L'amour ? Qui parlait d'amour ?

La voix de Steve, tout près d'elle, la fit tressaillir.

— Elsa, tu nous chantes une chanson ?

Elle prit la guitare qu'il lui tendait.

— Pourquoi pas ? Connais-tu « Old Habits » ?

— Je crois m'en souvenir... Donne-moi le « la », je t'accompagne.

Dès les premières notes de musique, les conversations s'éteignirent et les invités se rassemblèrent en cercle autour d'eux. Alors qu'Elsa entamait le deuxième couplet, son regard croisa celui de Jeff, qui venait de rejoindre ses invités. Mentalement, elle lui dédia la chanson. Les mots d'amour qui s'échappaient de ses lèvres lui semblaient directement inspirés par son lumineux regard gris.

La chanson terminée, elle rendit sa guitare à Steve et alla se promener parmi les invités. De loin, elle aperçut Rio qui dansait avec la jolie Nada, et lui fit un petit signe de la main. En quelques semaines, l'adolescent un peu gauche et renfermé s'était transformé en un jeune homme rieur et plein d'assurance...

S'approchant d'un groupe d'enfants qui sautaient à la corde elle vit au milieu la petite Amanda, blonde et rayonnante. Dès qu'elle aperçut Elsa, la fillette quitta ses camarades et courut à sa rencontre.

— Tu t'amuses bien, Mandy ?

La petite fille hocha la tête, la prit par la main et l'entraîna vers ses camarades.

Plus tard, de retour chez elle, Elsa s'interrogea sur les motifs qui poussaient Jeff à refuser une dernière chance à Amanda. Bien sûr, il avait essuyé tant de déceptions qu'il avait perdu espoir... Comment le convaincre qu'elle savait les Monroe capables d'accomplir des miracles ?

Elle aimait la compagnie silencieuse et amicale d'Amanda qui venait souvent lui rendre visite. Au cours d'un chaud après-midi du mois d'août, alors qu'elles buvaient une liminade dans la cuisine,

Mandy lui posa une question que la jeune femme ne comprit pas. La fillette quitta alors sa chaise, fit le tour de la table, plaça ses petits doigts sur les paupières d'Elsa. Cette dernière saisit alors le sens de sa question.

— Pourquoi as-tu de drôles d'yeux en amandes ?

— Je ne sais pas, répondit la jeune femme en riant. Toi, tu as les mêmes yeux que ton papa. Moi je n'ai pas connu mes parents, mais je suppose qu'ils devaient avoir des yeux comme les miens...

Mandy parut satisfaite de la réponse et retourna tranquillement à sa place boire sa limonade.

Septembre arriva. D'ordinaire des pluies violentes s'abattaient sur la région en cette saison, mais cette année, les nuages noirs qui s'accumulaient à l'horizon glissaient obstinément vers Tombstone, évitant de verser leur eau bienfaisante sur les prairies jaunies des ranchs.

Elsa, assise sur les marches de bois de son perron, respirait l'air tiède et parfumé de cette fin d'après-midi, en regardant voleter les papillons multicolores. Rebus vint se coucher à ses pieds et elle caressa affectueusement sa fourrure grise.

— On dirait que tu te plais bien ici...

Le soleil commençait à se coucher derrière les montagnes quand elle vit Jeff qui se dirigeait vers chez elle, portant Mandy dans ses bras.

— Belle soirée, n'est-ce pas ? dit-il en déposant l'enfant à terre. On sent l'arrivée de l'automne.

C'était la première fois qu'il venait la voir chez elle. Avait-il quelque chose à lui demander ?

Jeff s'assit à côté d'elle et regarda pensivement son enfant jouer avec Rebus.

— Elsa, à propos d'Amanda...

— Oui ?

— Vous comprenez, c'est elle qui endure les tests, les questionnaires, les examens...

— Vous n'aurez rien à craindre avec Linda et David, ce sont...

— Des médecins, la coupa-t-il d'une voix dure. Et pour eux, tous les patients sont plus ou moins des cobayes.

— Vous êtes injuste, protesta-t-elle. Attendez de connaître les Monroe. Je vous jure qu'ils ont guéri des cas désespérés.

Elle vit Jeff se tourner vers sa fille et lut sur ses doigts la question qu'il lui posait.

— Mandy, Elsa connaît un médecin qui pourrait t'aider à entendre. Si tu acceptes de le rencontrer, elle prendra rendez-vous pour toi.

Les deux adultes échangèrent un regard anxieux et, à leur grand désarroi, virent les yeux de l'enfant s'emplir de larmes et sa petite bouche se mettre à trembler.

Bouleversée, Elsa lui tendit les bras, mais la fillette s'avança vers son père.

— Elsa pourra-t-elle venir aussi ? interrogèrent ses doigts.

Surpris, Jeff reprit par gestes :

— Tu veux dire que tu acceptes de voir le docteur ?

— Oui, si Elsa vient avec nous.

— Bien. Vous avez compris ce qu'il vous reste à

faire, dit Jeff d'un ton plein de défi. Mandy vous demande de l'accompagner.

— Mais... c'est impossible, bredouilla la jeune femme, j'ai du travail et...

Jeff se leva et prit dans ses bras l'enfant qui bâillait.

— C'est vous qui avez lancé cette idée. A vous de prendre vos responsabilités.

Déjà, il s'éloignait à grandes enjambées, emportant avec lui la fillette ensommeillée, dont la tête ballottait doucement sur son épaule.

— Jeff, attendez ! s'écria Elsa en courant après lui.

Il tourna la tête, sans s'arrêter.

— Oui ?

— J'aimerais vous parler, seule à seul.

— D'accord. Disons dans une demi-heure ! Je vais coucher cette demoiselle et je reviens.

En rentrant chez elle, Elsa sortit du tiroir de son bureau un album de photos et de coupures de presse, qu'elle feuilleta avec nostalgie. En première page, une photographie représentait un groupe d'enfants entourant une jeune femme au sourire timide. Suivait un article élogieux : « Une jeune diplômée de l'université du Wyoming félicitée pour ses recherches en matière de surdité infantile. Grâce à ses étonnantes découvertes sur la régénération des tissus cellulaires, de nombreux enfants pourront réapprendre le bonheur d'entendre. Nous la voyons photographiée ici en compagnie de ses jeunes patients dans la clinique de Newark, New Jersey, qu'elle vient d'ouvrir avec son mari, le docteur David Monroe. »

Elsa relisait avec attention un article consacré à ses amis quand un léger coup de sonnette la fit tressaillir.

— C'est vous, Jeff ? Entrez, c'est ouvert !

Elle l'invita à s'asseoir à côté d'elle sur le canapé.

— Excusez-moi pour tout à l'heure, mais la demande d'Amanda m'a prise au dépourvu et je...

— Vous refusez de l'accompagner ?

— Non, pas du tout ! Simplement je pensais que... que vous préféreriez sans doute emmener Eilen Mc Kane avec vous...

Comme il ne répondait pas, elle noua ses mains autour de ses genoux, et poursuivit d'un ton hésitant :

— Miss Mc Kane n'aimerait peut-être pas savoir que je voyage seule avec vous.

— Est-ce là la seule objection qui vous empêcherait de partir ?

— Il... il y a beaucoup de travail ici en ce moment.

Jeff secoua la tête.

— Hammet et Rio peuvent se débrouiller seuls quelques jours. S'ils ont le moindre problème, ils appelleront l'école vétérinaire.

Elsa garda le silence. En vérité, elle craignait de voyager seule avec lui...

Elle prit l'album posé sur la table basse et le lui tendit.

— Tenez, feuilletez-le. Ce sont des coupures de

presse que j'ai réunies au fil des années. Je pense qu'elles vous intéresseront.

Elsa resta silencieuse pendant qu'il lisait les articles. Jeff lui rendit ensuite l'album, sans commentaires.

— Puis-je prendre rendez-vous avec Linda ? s'enquit-elle timidement.

— Oui, si vous acceptez de nous accompagner.

— J'accepte de tout cœur, Jeff. Mais je vous préviens, nous risquons d'être absents plus d'une semaine.

Jeff haussa ses larges épaules et se leva.

— Aucune importance. Alors, je compte sur vous pour téléphoner à vos amis ? Tenez-moi au courant. Bonne nuit, Elsa.

Dès le lendemain matin, après avoir pris son petit déjeuner, la jeune femme téléphona à Newark.

A la première sonnerie, on décrocha.

— Docteur Monroe, à l'appareil.

— Linda ? C'est moi, Elsa.

— Au son de ta voix, je devine que tu as une bonne nouvelle à m'annoncer. Tu as convaincu M. Wagner de m'amener sa fille...

— En effet. Il m'a demandé de prendre rendez-vous avec toi.

— Une seconde, je prends mon carnet. Voyons... que dirais-tu de jeudi prochain ? Si nous pouvions la voir très tôt le matin, nous commencerions immédiatement les tests. Ensuite, il faudrait attendre quelques jours pour vérifier les réactions cellulaires.

— Jeudi ? C'est parfait. Linda, sais-tu que je viendrai aussi ?

Son amie poussa une exclamation ravie.

— Vrai ? C'est merveilleux ! Tu viendras dormir chez nous, bien entendu...

— Non, je préférerais rester près d'Amanda. Elle m'a demandé de l'accompagner, tu comprends, et je ne veux pas la décevoir.

— Tant pis ! c'est moi qui serai déçue ! Tu viendras tout de même dîner chez nous. David va être content quand je vais lui annoncer la nouvelle. Nous vous réserverons des chambres au motel le plus proche de la clinique pour mercredi soir. Si vous avez un empêchement, préviens-moi d'ici là.

Elsa raccrocha, le cœur battant. Avec beaucoup de chance, entre les mains habiles de Linda et de David, Amanda Wagner entendrait peut-être un jour le chant des oiseaux...

Elle se rendit chez Jeff pour lui communiquer la date du rendez-vous, mais lorsqu'elle arriva chez lui, Lily lui apprit qu'il était déjà parti travailler et qu'il rentrerait tard.

Aujourd'hui samedi, il y avait bal à Tombstone. Elsa partit plus tôt qu'à l'accoutumée, pour faire quelques courses en ville avant la fermeture des magasins. Au moment de monter dans sa camionnette, elle surprit le regard de reproche de Rebus comme toujours quand elle partait sans lui. Prise de remords, elle le siffla et lui ouvrit la portière. Fou de joie, le chien courut aussi vite que le lui permettaient ses vieilles jambes et sauta sur la banquette en frétillant.

Après avoir fait ses achats de la semaine, Elsa se dirigea vers la salle de bal, située à la sortie nord de la ville, et gara la camionnette à côté de la jeep de Steve.

— Rebus, je compte sur toi pour garder la voiture. Appuie sur le klaxon si tu as besoin de moi !

Elle baissa légèrement la vitre pour laisser passer un filet d'air, avant de fermer la portière à clé.

En entrant dans la salle de bal, elle rencontra Steve et Jamie qui bavardaient avec un couple d'amis, les Howard.

— Tiens, regardez qui est là ! s'exclama soudain Gladys Howard.

Elsa tourna la tête et vit Eileen Mc Kane, debout à côté de Jeff, la tête appuyée contre son épaule. La robe de soie qu'elle portait aurait aisément coûté à Elsa un mois de son salaire... D'un bleu lavande très pâle, soulignée à la taille par une ceinture d'un bleu plus soutenu, elle mettait admirablement en valeur son teint de porcelaine et ses cheveux d'or pâle. Et pourtant un ennui profond se lisait sur son joli visage, tandis qu'elle laissait couler sur ses congénères un regard parfaitement indifférent.

— Je n'en reviens pas, souffla Jamie à l'oreille d'Elsa. Eileen condescendant à se montrer dans un bal populaire. On n'avait jamais vu ça...

— J'ai vu sa robe dans une boutique de Tucson, soupira la jeune femme. J'ai cru que l'on allait me faire payer l'autorisation de l'admirer !

Jamie fit la moue.

— En tout cas, elle n'a pas l'air de se plaire ici. Ce

n'est pas un endroit assez chic ! Je me demande pourquoi Jeff l'a invitée...

De son côté, Steve ne paraissait nullement impressionné par leur belle voisine.

— Allons, chérie, oublie cette pimbêche et viens danser. Elsa, pendant ce temps, réfléchis aux morceaux que nous pourrions jouer. Ce soir, je sens que nous allons faire un tabac !

Elsa lui sourit, puis embrassa la grande salle du regard : les habitués arrivaient par petits groupes, échangeant d'amicales accolades et colportant les nouvelles du voisinage.

— Bonsoir Elsa...

Elle releva vivement la tête.

— Oh, bonsoir Jeff.

— Connaissez-vous Eileen ?

— Oui, nous nous sommes rencontrées au barbecue, le mois dernier.

— Ah oui, je me souviens... Vous êtes la nouvelle vétérinaire, je crois, lâcha Eileen du bout des lèvres.

Dans sa bouche, cela sonnait presque comme une injure ! En son for intérieur, Elsa se demanda ce qui, chez Eileen Mc Kane, pouvait bien attirer Jeff. Le terme de « pimbêche » utilisé par Steve la qualifiait à la perfection !

— Venez, allons prendre un verre, proposa ce dernier en prenant les deux jeunes femmes par le bras.

Ils s'installèrent à une table, un peu à l'écart de la foule, et commandèrent des jus de fruits.

— Elsa, avez-vous réussi à contacter les Monroe ? s'enquit Jeff avec une pointe d'anxiété.

— Oui, nous avons rendez-vous jeudi matin. Linda s'est occupée de réserver les chambres.

— Vous a-t-elle dit combien de temps nous devrions rester à Newark ?

— Une semaine environ. Le temps nécessaire à l'obtention des résultats des tests.

— Mais... de quoi parlez-vous ? intervint Eileen en fronçant ses fins sourcils.

— Elsa a des amis médecins spécialisés dans les problèmes de surdité infantile, expliqua brièvement Jeff.

— Tu avais pourtant décidé de ne plus voir de médecins ! s'exclama sa compagne d'un ton irrité. Pourquoi ne pas admettre une bonne fois pour toutes que ta fille ne sera jamais normale et l'inscrire dans une école spécialisée pour sourds-muets ?

Elsa se raidit, et ses lèvres s'entrouvrirent pour laisser échapper une réponse cinglante, mais Jeff la devança.

— Je n'ai pas encore dit mon dernier mot, Eileen.

— Encore du temps et de l'argent gâchés ! riposta cette dernière en fusillant Elsa du regard.

Pour sa part, la jeune femme aurait souhaité être très loin et ne pas assister à cette sordide querelle. Elle fut heureuse de voir Steve et Jamie s'approcher de leur table.

— Elsa, es-tu prête à jouer ? demanda Steve.

— Bien sûr !

Tandis qu'ils s'éloignaient, elle entendit Eileen lancer d'un ton pincé :

— Jeff, allons-nous rester pour écouter ça ?

— Crois-tu qu'elle parle de nous ? glissa Elsa à l'oreille du guitariste.

— Sans aucun doute. Elle déteste la musique « country » !

— Steve, crois-tu que cette femme aime quelque chose ? s'étonna-t-elle, encore sous le choc des paroles d'Eileen au sujet d'Amanda.

— Je ne sais pas. Apparemment, elle aime Jeff, et elle est très jalouse. Méfie-toi d'elle, Elsa...

La jeune femme n'eut pas le temps de lui demander des explications, car déjà ils montaient sur la scène désertée par l'orchestre ; seul Ben Casey, le pianiste, s'attarda quelques instants avec eux.

— Elsa, lui dit-il avec un sourire triste. Ma petite amie vient de me quitter. Vous voulez me chanter « Tu as brisé mon cœur » ?

— D'accord ! Prêt, Steve ?

Après cette triste ballade, ils passèrent à une chanson plus gaie, plus rythmée, que tous les danseurs reprirent en chœur, en tapant du pied. Elsa se laissa gagner par l'euphorie générale et malgré la présence d'Eileen Mc Kane, elle passa une excellente soirée.

Sur le chemin du retour, au volant de sa camionnette, elle s'aperçut qu'elle fredonnait la triste ballade de Ben. Tiens, elle ne souffrait plus de chanter cette chanson... Pourtant quand Tim l'avait quittée, elle ne pouvait pas l'entendre à la radio sans se mettre à pleurer. Tim, à présent, faisait partie des souvenirs doux amers de son passé. « Où que tu sois, j'espère que tu es heureux et que tu as de beaux enfants... », murmura-t-elle, reprenant les paroles de la chanson.

Songeant au vide béant de son existance qu'elle ne pourrait jamais combler, elle haussa les épaules et enfonça la pédale de l'accélérateur. Le petit visage d'Amanda apparut devant ses yeux, et une bouffée de colère l'envahit en repensant aux paroles haineuses d'Eileen Mc Kane.

— Rebus, comment peut-on être aussi méchant ? demanda-t-elle au chien roulé en boule sur le siège.

Celui-ci lui répondit par un gémissement ensommeillé.

— Je vois que tu es d'accord avec moi...

Chapitre 5

Tout en préparant sa valise, le mercredi suivant, Elsa chercha à se souvenir du temps qu'il faisait dans le New Jersey au mois de septembre. Certainement plus froid que dans l'Arizona, en tous cas... Elle fouilla dans son armoire et décrocha de son cintre un ensemble en jersey noir qu'elle n'avait pas porté depuis longtemps. Elle l'examinait d'un œil critique quand le téléphone sonna.

— Allô, Elsa ? Jeff à l'appareil.

Elle faillit lui dire qu'elle avait tout de suite reconnu sa voix, mais elle se retint.

— Jasper va nous emmener en avion à Tucson, lui annonça-t-il. Tenez-vous prête pour midi.

Quelques minutes avant l'heure dite, on sonna à la porte. Elsa alla ouvrir et découvrit la petite Amanda, vêtue d'une combinaison jaune vif et de jolies chaussures blanches.

— Mandy ! Tu es adorable ! s'exclama Elsa en la soulevant dans ses bras pour l'embrasser sur les deux joues.

Ils se rendirent en jeep jusqu'à l'aérodrome où

Jasper les attendait dans son bimoteur. Il hissa l'enfant à côté de lui et boucla sa ceinture.

— J'ai hâte d'atterrir à Newark, confia Elsa à Jeff une fois le sas refermé.

— Vous n'avez toujours pas confiance en moi ? observa Jasper en riant. Prenez exemple sur Mandy, ajouta-t-il en désignant la petite fille qui regardait la terre s'éloigner avec des yeux émerveillés.

Arrivés à l'aéroport de Newark, ils prirent un taxi pour se rendre au motel où Linda leur avait réservé une chambre. Durant tout le trajet, Elsa garda Amanda sur ses genoux et regarda avec elle défiler le paysage. Il faisait presque nuit et les réverbères étaient déjà tous allumés, éclairant la chaussée luisante de pluie. Le climat était très différent de celui de l'Arizona, en effet ! Depuis leur arrivée, la pluie n'avait cessé de tomber.

Le taxi ralentit et tourna dans une allée qui menait à une bâtisse noyée dans la verdure. Tandis que le chauffeur sortait les bagages du coffre, Jeff alla chercher les clés des chambres à la réception. Elsa portait Mandy qui s'était endormie dans ses bras.

— Et si je la gardais avec moi dans ma chambre pour cette nuit ? demanda-t-elle à Jeff au moment où il ouvrait sa porte.

Il hocha la tête.

— Comme vous voudrez. Ses affaires sont là, dans la valise. Voulez-vous que je lui mette son pyjama ?

— Non, laissez, je m'en occuperai.

Jeff lui souhaita bonne nuit et gagna sa chambre, attenante à la sienne. Entre temps, Amanda s'était réveillée et attendait sur le lit, souriante. Elsa l'emmena dans la salle de bains, pour qu'elle se lave les dents, puis l'aida à se déshabiller et à se coucher. La fillette s'endormit instantanément, dès qu'elle eut posé la tête sur l'oreiller. Après avoir fait un brin de toilette, Elsa se glissa à son tour entre les draps frais, feuilleta un magazine féminin et ne tarda pas elle aussi à sombrer dans un profond sommeil.

Son premier geste en se réveillant le lendemain matin fut de téléphoner à Linda.

— Je... je ne vous réveille pas ? demanda-t-elle timidement.

Le rire clair de Linda résonna à l'autre bout du fil.

— Nous sommes levés depuis longtemps ! David est déjà parti travailler. Tout va bien ? Nous nous voyons comme convenu à neuf heures ?

— Bien sûr. Jeff... M. Wagner est parti louer une voiture. Il doit revenir d'une minute à l'autre...

Tout en parlant, elle regardait Amanda qui, le nez contre la vitre, attendait impatiemment le retour de son père.

— Oh Elsa ! je suis si contente à l'idée de te revoir ! s'exclama Linda. Je n'arrive pas à croire que dans moins de deux heures, je t'aurai devant moi, en chair et en os !

En attendant Jeff, Elsa habilla la petite fille puis l'emmena à la cafétéria. Mandy ne paraissait nullement appréhender la journée qui l'attendait. Un quart d'heure plus tard, Jeff vint les rejoindre et ils prirent ensemble leur petit déjeuner, sous le regard curieux des clients du motel qui découvraient avec étonnement le couple et l'enfant parlant par signes avec animation.

Linda leur avait très clairement indiqué l'itinéraire et Jeff n'eut aucun mal à trouver la clinique Monroe. Il ferma les portières à clé et adressa à sa fille un clin d'œil complice.

— Allez, hop, on y va !

L'enfant leur donna la main à tous les deux et sautilla d'un pied sur l'autre jusqu'à l'entrée. Ils pénétrèrent dans un petit hall clair et décoré de plantes vertes où une réceptionniste leur indiqua le bureau du docteur Monroe. Ils arrivèrent devant une porte vitrée où était accroché un panonceau : ENTRER SANS FRAPPER.

Dès qu'ils eurent franchi la porte, une ravissante jeune femme blonde se précipita à leur rencontre.

— Elsa ! Comme je suis heureuse !

Linda Monroe recula d'un pas.

— Laisse-moi te regarder... Mais tu es magnifique, et toute bronzée ! Tiens, tu as coupé tes cheveux ? Cela te va très bien...

— Linda, laisse-moi te présenter M. Wagner. Jeff, je vous présente ma meilleure amie...

Linda serra la main de Jeff puis s'accroupit devant la petite fille et lui parla par signes.

— Bonjour, Amanda. Comme tu as de beaux cheveux...

Un peu intimidée, l'enfant regarda Linda, puis son père, qui l'encouragea d'un sourire. Elle leva alors vers le médecin son regard gris et limpide.

— Bonjour madame, firent ses mains.

— David ne va pas tarder, expliqua Linda en retournant à son bureau. Il est en train d'opérer.

Elle sortit de son tiroir une grande feuille de papier quadrillé.

— Nous allons remplir cette fiche, avant de passer à l'entretien proprement dit.

Durant quelques minutes, elle posa à Jeff de nombreuses questions sur le passé médical de sa fille. Tout en prenant des notes, elle ne manqua pas de remarquer la complicité qui unissait Elsa et Mandy, qui s'amusaient dans un coin de la pièce.

— Bien. Monsieur Wagner, j'aimerais que votre fille reste à la clinique pendant toute la durée des tests, excepté dimanche bien entendu, où nous vous invitons à venir déjeuner chez nous.

Elsa traduisit à Mandy ce que venait de dire Linda et elle perçut immédiatement l'angoisse que cette nouvelle suscitait chez l'enfant. Elle serra ses petites mains dans les siennes et fut récompensée par un sourire incertain.

Après avoir enregistré l'entrée d'Amanda à la réception, Linda les mena dans une grande chambre, qui donnait sur un jardin fleuri.

— Amanda, je te présente Ellen, qui prendra soin de toi.

Une toute jeune infirmière prit l'enfant dans ses bras et la déposa sur le lit recouvert d'un tissu d'un jaune vif éclatant.

Elsa lança un coup d'œil en direction de Jeff. Celui-ci se tenait très raide, les mâchoires serrées. Combien de fois avait-il vécu cet instant de séparation avec sa fille dans une chambre d'hôpital ? Elle aurait voulu lui prendre la main, lui dire qu'il n'était pas seul, qu'elle partageait son chagrin.

A ce moment, une voix chaleureuse s'éleva derrière elle.

— Tiens, mon vétérinaire préféré !

— David !

Le jeune médecin l'embrassa affectueusement sur les deux joues puis échangea avec Jeff une vigoureuse poignée de main. Ensuite, il leur expliqua point par point, avec beaucoup de précision, les étapes du traitement de Mandy. Finalement, Jeff et Elsa quittèrent la clinique un peu avant midi.

— Avez-vous faim ? demanda-t-il en ouvrant la portière de la voiture.

— Oui, un peu...

Ils déjeunèrent ensemble à la cafétéria du motel.

— Vous n'êtes guère loquace, remarqua Jeff au bout de quelques minutes.

Elsa leva les yeux et croisa son regard gris, qui l'observait avec attention.

— Je n'aime pas beaucoup l'atmosphère des cliniques, avoua-t-elle avec simplicité.

— Moi non plus...

Il lui effleura la main.

— Elsa... Je ne sais comment vous exprimer ma reconnaissance. D'habitude Amanda est beaucoup plus craintive avant les tests.

— Mais je suis heureuse d'être venue, Jeff, quoique je me sente un peu coupable d'avoir abandonné Rio et Hammet.

Le regard de Jeff erra sur le visage de la jeune femme, étudiant chaque détail, ses pommettes hautes, ses sourcils noirs bien dessinés, ses yeux turquoise qui à cet instant paraissaient plus clairs que jamais.

— Ne vous inquiétez pas, dit-il en souriant. Ils se débrouilleront très bien sans vous.

L'après-midi, ils se promenèrent dans les rues de Newark, flanèrent dans les magasins, dînèrent dans un restaurant de fruits de mer et rentrèrent au motel vers neuf heures du soir. Au moment de se séparer, devant la porte de la chambre d'Elsa, Jeff lui souleva le menton et l'embrassa doucement.

— Bonne nuit, Elsa...

Elle entra dans sa chambre et s'appuya contre la cloison, les paupières closes, cherchant à endiguer le flot d'émotions qui la submergeait, tandis qu'elle entendait les pas de Jeff décroître dans le couloir.

Le samedi midi, ils allèrent chercher Amanda à qui l'on avait prélevé un fragment de tissu de l'oreille interne, en vue d'une biopsie. Ils sortirent tous les trois de la clinique, sous un chaud soleil.

— Aimeriez-vous voir la mer ? proposa Jeff. La baie qui sépare le New Jersey de New York n'est qu'à environ une heure de route.

Elsa se tourna vers Mandy, pour lui répéter la question. Les yeux de l'enfant se mirent à briller et elle battit des mains avec enthousiasme.

En voyant les grands érables qui prenaient une jolie couleur rousse, Elsa songea à la dernière fois qu'elle était venue à Newark, après son divorce ; durant les quelques jours qu'elle avait passés chez les Monroe, un brouillard épais enveloppait la ville, interdisant toute sortie. Aujourd'hui au contraire, la journée était belle et ensoleillée, et une douce brise soufflait de la mer.

Lorsqu'elle découvrit l'océan qui s'étendait devant eux, Mandy écarquilla les yeux : la petite fille du désert n'avait jamais vu une telle immensité d'eau ! Elle désigna du doigt un point noir qui se dirigeait vers eux.

— Qu'est-ce que c'est ? firent ses mains.

— C'est un cargo. Un bateau qui transporte des marchandises d'un pays à un autre.

Amanda hocha la tête, sans cesser de regarder le bateau, puis soudain elle se retourna et leur fit signe qu'elle avait faim.

— C'est bientôt l'heure de goûter, nota Jeff en consultant sa montre. Je vous propose d'aller boire un chocolat chaud dans cette charmante petite auberge, ajouta-t-il en désignant une maison de bois peinte en blanc. Ensuite nous rentrerons à Newark.

Amanda s'endormit durant le trajet du retour.

— Attendez-moi ici, fit Jeff en sortant de la voiture. Je vais ouvrir la porte et je reviens la chercher.

Lorsqu'il revint prendre l'enfant dans ses bras, une mèche de ses cheveux balaya la joue de la jeune femme, qui sentit les battements de son cœur s'accélérer. « Elsa, se sermonna-t-elle, cet homme est incontestablement séduisant, et toi tu vis seule depuis trop longtemps. Ne laisse pas ton imagination te jouer des tours. »

Jeff déposa l'enfant assoupie sur le lit et lui ôta ses vêtements. Il prit la chemise de nuit qu'Elsa lui tendait et la glissa par-dessus la tête blonde, en prenant soin de ne pas la réveiller. Puis il la coucha et la borda tendrement. Dans son sommeil, Amanda poussa un léger soupir.

— Comme elle est jolie... murmura Elsa.

Ils demeurèrent un instant à contempler la fillette endormie, puis Jeff se redressa brusquement.

— Bonne nuit, Elsa.

Il esquissa un geste vers elle, mais il y renonça. Pivotant sur ses talons, il sortit et referma la porte derrière lui.

Le lendemain matin, au cours du petit déjeuner, ils étudièrent le plan fourni par les Monroe pour se rendre chez eux. Ils habitaient à quelques kilomètres de la clinique, mais pour s'y rendre il fallait suivre un dédale de sentiers au tracé bien compliqué... Ils parvinrent cependant à destination.

La maison était à l'image de la personnalité de Linda : adorable et très organisée. Ils se régalèrent de délicieuses boulettes de bœuf et d'une tarte sablée aux fraises et à la crème. Après le repas, David et Jeff se retirèrent dans la véranda, tandis qu'Amanda allait jouer avec le chien, dans le jardin.

Dès qu'elle fut seule avec son amie, Elsa lui posa la question qui lui brûlait les lèvres :

— Alors, Mandy a-t-elle une chance de guérir à ton avis ?

— Nous ne pouvons pas encore nous prononcer, Elsa, mais il faut être optimiste...

Linda changea brusquement de sujet.

— Et Tim, Elsa ? Es-tu enfin parvenue à l'oublier ?

— Au bout de trois ans, il serait temps, non ? répondit la jeune femme, après brève réflexion.

Son amie se mit à rire.

— Je te demande si tu l'as vraiment oublié.

— Oui, je le crois sincèrement.

Linda en parut ravie.

— Félicitations ! Une nouvelle vie commence pour toi ! Parle-moi un peu de ce Jeff Wagner. Il est plutôt bel homme...

D'abord réticente, Elsa se livra peu à peu, lui parlant du ranch, des Hilton, de la mort accidentelle de la mère d'Amanda et d'Eileen Mc Kane.

— Ecoute, conclut Linda en souriant, je ne connais pas cette Eileen, mais je suis certaine que Jeff Wagner n'est pas du tout insensible à ton charme...

— Toi, tu as toujours eu beaucoup d'imagination ! Si nous parlions un peu de vous ? Comment va ta mère ? Il y a si longtemps que je ne l'ai pas vue...

Tout en bavardant avec son amie, Elsa se sentait d'humeur légère. Elle n'avait pas menti en disant qu'elle était enfin libérée de Tim...

Vers cinq heures de l'après-midi, Jeff les rejoignit, tenant la petite fille par la main.

— Excusez-moi de vous interrompre, mais l'infirmière m'a demandé de ramener Mandy vers six heures. Merci pour votre hospitalité, Linda. Je suppose que nous nous verrons demain à la clinique.

Ce soir-là, la séparation fut beaucoup plus difficile. Ils abandonnèrent Amanda en larmes dans les bras de l'infirmière.

— Je n'ai pas envie de rentrer tout de suite, dit

Jeff sur le chemin du retour, d'une voix sourde. Arrêtons-nous pour prendre un verre... Tiens justement, voilà un café.

Ils pénétrèrent dans un petit bar, presque vide.

— Que voulez-vous ? demanda Jeff. Je ne connais pas vos goûts en matière d'alcool.

— Oh, je ne bois jamais. Mais aujourd'hui, je prendrais volontiers un « bloody-mary ».

— Vodka et jus de tomate ? Bonne idée, je vais vous imiter.

Ils burent leurs cocktails en silence. Un silence complice, plus éloquent que tous les mots qu'ils auraient pu échanger.

Une sorte de rituel les poussait à se séparer chaque soir devant la chambre d'Elsa. De nouveau, Jeff se pencha vers elle, l'embrassa doucement sur les lèvres, lui souhaita bonne nuit et s'éloigna sans se retourner.

Chapitre 6

Jeff et Elsa étaient assis dans la salle de réunion de la clinique, en compagnie de David, Linda, et de deux autres médecins, pour parler du cas d'Amanda. Le premier, David prit la parole :

— Monsieur Wagner, je vous présente le docteur Herbert, de Boston, et le docteur Mc Lain, que vous avez dû rencontrer à l'hôpital John Hopkins de Dallas.

Jeff hocha la tête puis se pencha en avant, les mains croisées.

— Alors, quel est votre diagnostic ? dit-il d'une voix tendue.

— Nous sommes tous d'accord : si nous pratiquons une greffe, il y a soixante-dix pour cent de chances qu'Amanda entende prochainement.

— Jeff, ayez confiance en nous, ajouta Linda, consciente de sa méfiance. Je vous assure que nous n'utilisons pas votre fille comme cobaye. Nous avons déjà plusieurs fois pratiqué cette opération avec succès. Bien sûr, Amanda n'entendra peut-être pas comme vous et moi. Mais elle retrouvera très vite l'usage de la parole. A présent, c'est à vous de décider.

Jeff les regarda tour à tour, puis son regard se posa enfin sur Elsa, qui l'encouragea d'un léger signe de tête.

— Très bien, dit-il en se levant. Si vous pensez réussir, je vous donne mon autorisation.

L'opération eut lieu le mercredi matin, et Mandy fut de retour dans sa chambre avant midi. Toute la matinée, Elsa avait refoulé ses larmes en pensant au visage très pâle de l'enfant à qui l'on avait rasé les cheveux autour des oreilles. Elle lui avait tenu la main jusqu'à l'entrée de la salle d'opération.

A présent, Amanda reposait sur son lit, inconsciente, ils se relayèrent à son chevet jusqu'à neuf heures du soir ; lorsque l'infirmière de nuit arriva, l'enfant était réveillée et gémissait dans son lit.

— Je vais lui donner un somnifère léger et elle passera une très bonne nuit, les rassura-t-elle aussitôt. Vous devriez rentrer chez vous et essayer de dormir.

Epuisés, ils regagnèrent le motel en silence. Comme à son habitude, Jeff laissa Elsa devant la porte de sa chambre, après avoir déposé sur ses lèvres un léger baiser.

— Merci pour tout, Elsa. Bonne nuit.

Lorsqu'elle se leva le lendemain matin, il tombait une pluie fine et pénétrante, une pluie d'automne.

Cette fois, c'est la fin de l'été, songea-t-elle en laissant retomber le rideau de la fenêtre.

En accord avec Jeff, elle avait décidé de rentrer au

ranch le lendemain. Pendant qu'il allait voir sa fille à la clinique, elle se rendit chez Linda pour lui faire ses adieux et passer cette dernière journée avec elle.

— Tu sais, Amanda se remet très vite. D'ici une dizaine de jours, nous vérifierons si la greffe a bien pris. S'il n'y a pas de foyer d'infection, elle sortira très vite de la clinique.

— Pourras-tu me donner de ses nouvelles ?

— Bien sûr ! Je t'appellerai au ranch samedi matin, dès que nous aurons fait les premiers tests auditifs. Elsa, je suis si contente de t'avoir revue. Quel dommage que tu ne puisses pas rester un peu plus longtemps...

Elle hésita, puis reprit :

— Je me demande pourquoi Jeff n'a pas demandé à sa dulcinée de l'accompagner...

— Ne te pose pas trop de questions, Linda. N'oublie pas que c'est Mandy qui m'a demandé de venir...

— En effet. Mais pourquoi t'a-t-elle choisie, toi ?

— D'après ce que j'ai compris, Eileen ne supporte pas les enfants. Et encore moins les enfants handicapés.

— A la place de Jeff, cela ne me plairait guère.

Elsa soupira.

— L'amour rend parfois aveugle...

Il était six heures. Linda venait de raccompagner Elsa au motel, en lui promettant une nouvelle fois de lui donner des nouvelles. La jeune femme se déshabilla, plia soigneusement son ensemble noir, qu'elle mit dans sa valise, puis sortit un jean et un chemisier blanc, et les laissa sur son lit. Elle passa ensuite dans la salle de bains et s'attarda longtemps sous la douche.

Sans prendre la peine de se sécher, elle s'enveloppa dans une grande serviette-éponge et alla à la fenêtre. Le ciel était tout gris, et la pluie, fine et drue, tombait sans discontinuer..

A ce moment, on frappa à la porte.

— Elsa, vous êtes là ? fit la voix de Jeff.

Oubliant la légèreté de sa tenue, elle alla ouvrir, en passant la main dans ses cheveux, dans un geste de coquetterie inconscient. Jeff était mouillé de la tête aux pieds. Ses cheveux noirs, ruisselants de pluie, semblaient encore plus noirs qu'à l'ordinaire.

— Quel sale temps ! s'exclama-t-il en s'ébrouant. Je ne pourrais pas vivre dans cette région ! Tenez, j'ai pensé que vous auriez besoin d'un remontant, ajouta-t-il en sortant une bouteille de sherry de la poche intérieure de son pardessus. Je vous sers un verre ?

— Volontiers. Mais tout petit !

Il remplit deux verres et lui en tendit un.

— A Mandy, murmura Elsa. Que vous ont dit les médecins ?

— J'aimerais pouvoir être aussi optimiste qu'eux...

Il s'assit sur le lit en soupirant.

— Buvons aux miracles...

Un long silence s'ensuivit, que Jeff fut le premier à briser.

— Elsa, excusez mon indiscrétion, mais... vous

êtes jeune et belle. Depuis votre arrivée au ranch vous n'avez pas rencontré de... enfin...

— Non, je n'ai pas de petit ami, si c'est cela que vous voulez dire.

— Depuis que je vous connais, je me demande pourquoi une jolie fille comme vous est venue se perdre dans le désert avec un orphelin et un vieux chien.

— Je suis vétérinaire, au cas où vous ne vous en souviendriez pas.

Sous son regard aigu, elle se sentit obligée de lui donner une explication supplémentaire.

— Je... je suis divorcée.

Il étudia pensivement le fond de son verre, puis releva la tête.

— Que s'est-il passé ?

Elsa haussa les épaules.

— L'avocat a parlé d'incompatibilité d'humeur.

— Les torts étaient de quel côté ?

— Du mien.

— Vous vous chargez de tous les péchés. C'est curieux, d'ordinaire les gens chargent plutôt leur conjoint...

Elle ne répondit pas et avala une gorgée de sherry. C'était la première fois qu'ils avaient ensemble une conversation personnelle, et les questions de Jeff la troublaient.

— Où vit-il, à présent ? demanda-t-il en l'observant à travers ses paupières mi-closes.

— Je ne sais pas.

— L'aimez-vous toujours ?

Mal à l'aise, Elsa se dirigea vers la fenêtre.

Dehors, des bourrasques de vent faisaient ployer les branches des arbres. Soudain un éclair blanc zébra le ciel, aussitôt suivi par un roulement de tonnerre.

— Je me demande si Mandy va aimer le bruit de l'orage... Moi, j'aime les orages, surtout ceux du Texas. Ils sont sauvages, magnifiques, même s'ils n'apportent pas beaucoup de pluie. Ici, ils sont tristes.

Ils restèrent silencieux, à écouter tomber la pluie, puis Jeff reprit d'une voix douce :

— Vous ne m'avez pas répondu. L'aimez-vous toujours ?

— Non.

Il ne fit aucun commentaire et tandis qu'elle tirait les rideaux et allumait la lumière, il lui demanda à brûle-pourpoint si elle avait déjeuné.

— J'ai pris un copieux goûter chez Linda. Et vous ?

— J'ai mangé avec Amanda, dit-il en s'étirant. Si la pluie cesse, nous pourrions peut-être aller dîner au restaurant.

Il vida soudain son verre d'un trait et déclara d'une voix durcie :

— Elsa, si l'opération d'Amanda devait échouer, je crois que je vous haïrais...

— Mais je suis sûre qu'elle entendra ! s'écria-t-elle en joignant les mains. Je lui ai promis qu'elle entendrait le rire de Charlie.

Un sourire amusé naquit sur les lèvres de Jeff.

— Vous... vous lui avez dit que Charlie riait ?

— Mais oui !

— C'est pour cela qu'elle vous aime tant, murmura-t-il comme pour lui-même. Vous voyez le monde avec des yeux d'enfant...

Son regard gris s'assombrit.

— Moi, il y a longtemps que je ne le vois plus ainsi, hélas...

Elle s'approcha de lui.

— Oh, ne dites pas cela, je vous en prie...

Jeff lui prit la main et l'amena doucement à s'asseoir sur le lit à côté de lui ; leurs regards semblaient aimantés l'un par l'autre et, tout naturellement, leurs lèvres se rejoignirent... Elsa sentit la main de Jeff faire glisser la serviette qui la protégeait encore, et l'entendit retenir son souffle.

Le contact de ses paumes sur sa peau nue fut pour elle une véritable révélation, la découverte de son désir pour lui... Avec un léger soupir, elle se laissa aller contre son épaule. Jeff lui releva la tête et l'observa gravement avant de reprendre à nouveau possession de sa bouche avec impétuosité.

Il glissa un bras sous ses jambes et la fit basculer contre lui vers le milieu du lit qui s'incurva sous leur poids. Alors, il contempla longuement ce corps dénudé, magnifique, qu'elle cherchait encore à lui dérober.

— Jeff, nous ne devrions pas...

Sa voix n'était plus qu'un souffle qu'il recueillit entre ses lèvres, annihilant sa volonté. Sous son regard caressant, elle se sentit soudain féminine, désirable, vivante. Son corps jeune et vigoureux réclamait l'accomplissement d'un acte depuis trop longtemps refusé.

— Déshabillez-moi, chuchota-t-il à son oreille.

Obéissante, elle défit un à un les boutons de sa chemise, découvrant avec ravissement les contours de ce corps inconnu. Les mains de Jeff épousèrent les douces courbes de ses hanches, de ses cuisses, avant de remonter vers son ventre plat, sa poitrine menue. Elle lui répondit par de lents mouvements, pleins de désir contenu. Il la couvrit alors de son corps et ils sombrèrent lentement dans un univers d'extase, inexorablement emportés par l'océan infini de la passion...

Des minutes, des heures plus tard, il la berça dans ses bras, et ils restèrent ainsi enlaçés, émus et silencieux. Ils n'eurent plus conscience que de l'orage qui se déchaînait, puis s'endormirent, heureux.

Lorsque Elsa s'éveilla, les lumières étaient toujours allumées et durant un instant, elle oublia où elle était. Elle tourna la tête et vit Jeff, endormi à ses côtés. Des cernes mauves marquaient son visage et elle sentit une vague de tendresse l'envahir. Il venait de vivre une très dure semaine... A cet instant, elle comprit qu'elle l'aimait. Cette découverte la bouleversa et lui fit monter les larmes aux yeux.

Son souffle léger réveilla Jeff, qui entrouvrit les paupières. Son regard gris erra sur le fin visage penché au-dessus de lui et il lui sourit tendrement. Soudain, il fronça les sourcils, en voyant les yeux de la jeune femme embués de larmes.

— Elsa ! Que se passe-t-il ? Pourquoi pleurez-vous ?

Ne sachant que répondre, elle se contenta de

secouer la tête. Il l'entoura de ses bras et la serra contre lui, promenant son index sur la ligne de ses lèvres pleines, de ses joues satinées, de son nez fin où il dénombra exactement cinq taches de rousseur.

— Elsa… murmura-t-il, en sentant la tête de la jeune femme s'alourdir sur son épaule.

Elsa s'était rendormie sans même s'en rendre compte. Une demi-heure plus tard, elle se réveilla en sursaut et vif Jeff sortir de la salle de bains.

— J'ai faim ! dit-elle en bâillant. Mais il fait vraiment trop mauvais pour sortir…

Une lueur de malice brilla dans les yeux de Jeff.

— Pendant que vous dormiez, Miss Whitelake, j'ai passé une commande au restaurant japonais. Je vais de ce pas la chercher. Aimez-vous la cuisine japonaise ?

— Je l'adore !

Il se pencha pour l'embrasser sur le bout du nez.

— Je reviens tout de suite.

Après son départ, Elsa resta quelques instants allongée sur le lit, rêveuse, puis elle se leva, prit une douche rapide et s'habilla. Lorsqu'elle entendit les pas de Jeff dans le couloir, elle alla à sa rencontre.

— Vous aviez raison, dit-il en lui tendant un gros carton, il ne fait pas un temps à s'aventurer dehors ! J'espère que ces plats cuisinés seront bons.

— Hmm, délicieux, fit Elsa en goûtant une brochette de crevettes.

— A quelle heure part votre avion, demain matin ?

— Dix heures quarante-cinq, je crois. J'espère

avoir le temps de dire au revoir à Mandy, avant de partir.

Elle jeta un discret coup d'œil à sa montre. Onze heures ! Elle n'avait pas vu le temps passer. Hélas, ces quelques heures de bonheur volées dans une chambre d'hôtel ne seraient bientôt plus qu'un souvenir...

— Elsa, commença soudain Jeff d'un ton embarrassé. Je... Je me sens un peu confus... J'espère que vous ne serez pas enceinte.

La jeune femme tressaillit. S'il savait...

— Ne vous inquiétez pas, dit-elle d'une voix douce.

Jeff haussa les sourcils, puis laissa son regard errer sur ses jambes fuselées.

— J'aurais dû me douter que vous preniez vos précautions...

L'intonation acide de sa voix lui fit mal, mais elle prit le parti de ne pas réagir.

Il se dirigea vers la fenêtre et ouvrit les rideaux ; dehors il faisait nuit noire et l'orage redoublait de violence.

— J'ai l'impression qu'il pleut plus ici en une nuit qu'en un an chez nous, soupira-t-il. Décidément, je n'aimerais pas vivre ici...

— Oh, il ne fait pas toujours si mauvais, rassurez-vous. Linda m'écrit souvent que...

— David m'a raconté comment vous lui aviez sauvé la vie, l'interrompit-il. Je crois qu'il vous voue une reconnaissance éternelle.

Elsa sourit.

— Vous savez, n'importe qui aurait eu le même

réflexe en voyant la voiture lui foncer dessus! D'ailleurs, elle s'est cassé le bras en tombant par terre quand je l'ai poussée sur le trottoir.

Il l'attira contre lui et huma le parfum délicat de sa chevelure. Elsa s'abandonna contre lui. Une petite voix lui conseillait de fuir un nouveau chagrin en perspective avant qu'il ne soit trop tard, mais l'épaule sur laquelle elle s'appuyait était si rassurante...

— Elsa, qui êtes-vous? murmura-t-il à son oreille. Personne ne vous connaît. Vous êtes libre comme le vent du désert... Votre regard étrange et fascinant semble n'avoir peur de rien...

Sauf de vous, songea-t-elle intérieurement.

— Mais ceci ne m'explique pas pourquoi vous pleuriez tout à l'heure.

En guise de réponse, elle lui offrit ses lèvres...

Ils s'aimèrent avec passion jusqu'aux premières lueurs de l'aube. Trop bouleversée pour trouver le sommeil, Elsa resta à contempler l'homme endormi dans ses bras, à écouter sa respiration régulière. Comment avait-elle pu croire qu'elle ne tomberait jamais plus amoureuse? L'angoisse de l'avenir lui étreignit le cœur comme un étau.

A six heures et demie, elle se leva pour prendre une douche, en veillant à ne pas réveiller Jeff. Il lui restait quatre heures avant le départ de l'avion.

— Elsa? Etes-vous prête? s'enquit-il un peu plus tard, en passant la tête dans l'entrebâillement de la porte. Je vous attends à la cafétéria. Café noir, comme d'habitude?

— Oui, s'il vous plaît. Avec deux croissants.

Amanda était encore tout ensommeillée lorsqu'ils entrèrent dans sa chambre. Elsa la prit dans ses bras et la serra très fort contre son cœur.

— Je dois retourner au ranch, Mandy. Tu ne m'en veux pas ?

Une ombre de tristesse passa dans les grands yeux gris de l'enfant, puis le sourire lui revint et ses mains s'agitèrent gaiement.

— Dis à Charlie que je reviendrai bientôt.

— C'est promis.

Une heure plus tard, ils roulaient en direction de l'aéroport. Durant tout le trajet, Elsa garda ses mains crispées sur la poignée de son sac. Elle était aussi triste que les routes du New Jersey humides de pluie.

— Elsa, dit Jeff après avoir garé la voiture sur le parking de l'aéroport. Ce qui s'est passé entre nous n'aurait peut-être jamais dû arriver. Mais je ne regrette rien.

Comme la jeune femme ne répondait pas, il lui souleva doucement le menton et l'obligea à le regarder.

— Encore merci d'être venue. Vous m'avez beaucoup aidé.

Au moment de l'embarquement, il effleura tendrement sa joue. Il faillit dire quelque chose mais se retint. Elsa s'était éloignée de quelques pas, quand il la saisit par le bras.

— Elsa...

Il la serra contre lui à l'étouffer, la libéra, tourna

brusquement les talons et s'éloigna à grandes enjambées.

Comme dans un rêve, Elsa monta dans l'avion et vit bientôt la ville de Newark disparaître sous les nuages.

Jasper l'attendait à Tucson. Il lui demanda aussitôt des nouvelles d'Amanda, et Elsa lui raconta en détail leur séjour à Newark, en omettant bien sûr l'épisode de la nuit précédente...

Le vendredi, elle se lança à corps perdu dans son travail pour oublier le refrain lancinant qui lui répétait que jamais elle ne connaîtrait le bonheur...

Chapitre 7

Linda lui téléphona comme convenu le samedi matin.

— Elsa ? Désolée de t'appeler si tôt, mais j'ai une opération à neuf heures. Bonnes nouvelles, ma chérie ! Amanda a déjà récupéré cinquante pour cent de ses facultés auditives, et ce n'est qu'un début ! Elsa ? Tu m'entends ? ajouta-t-elle devant le silence de son amie.

— Linda, t'a-t-on déjà dit que tu étais merveilleuse ? parvint à articuler Elsa, que la joie étouffait.

— Oui, assez souvent, fit son amie avec un petit rire.

— Parviendra-t-elle à parler ? Elle a tant de retard à rattraper…

— Ecoute, les docteurs Mathers et Preston sont nos deux meilleurs rééducateurs. Ils feront travailler Mandy tant qu'elle sera ici, c'est-à-dire encore une dizaine de jours. Ensuite, ils contacteront leurs collègues de Tucson, afin d'intégrer Amanda dans leurs programmes éducatifs. Certes, cela prendra du temps, mais la fillette est exceptionnellement douée.

Crois-moi, dans quelques mois, elle parlera couramment.

— Je te crois, Linda. Mon Dieu, comment vous remercier ?

— Je ne vois qu'une solution : revenir nous voir dès que possible !

— Oui, je viendrai, c'est promis. Embrasse David de ma part.

Après avoir raccroché, elle resta longtemps assise à côté du téléphone, savourant silencieusement cette formidable nouvelle. Puis elle se leva d'un bond et se mit à danser de joie, devant le regard perplexe de Rebus.

Dès qu'elle fut remise de son émotion, elle se précipita dehors et partit en courant chez les Hilton. En passant devant le corral, elle aperçut Hammet qui était déjà au travail.

— Elle entend, Hammett ! cria-t-elle tout essoufflée. Mandy entend !

Le vétérinaire haussa ses sourcils broussailleux.

— C'est bien sûr ?

— Mais oui, puisque je vous le dis !

— Dieu soit loué, murmura-t-il en joignant les mains.

— Que se passe-t-il ? fit la voix de Rio qui venait de surgir derrière eux.

Elsa lui répéta les paroles de Linda et vit le visage du jeune Mexicain s'illuminer. Il la prit dans ses bras et la serra contre lui.

— Je dois aller prévenir Steve et Jamie, dit-elle ensuite. Je te retrouve pour le petit déjeuner.

A l'instant où elle s'apprêtait à frapper à la porte

des Hilton, celle-ci s'entrouvrit, laissant apparaître Jamie, radieuse.

— Elsa ! Mandy entend !

— Comment, tu es déjà au courant ?

— Mais oui ! Jeff est au téléphone. Entre vite !

— Elsa, c'est toi ? Jeff aimerait te parler, cria Steve depuis le salon. Ne quitte pas, elle arrive, ajouta-t-il en tendant le combiné à la jeune femme.

Celle-ci saisit l'appareil d'une main tremblante.

— Allô ?

— Elsa ? Comment allez-vous ?

Elle crut déceler une certaine lassitude dans sa voix.

— Merveilleusement, Jeff, depuis que je connais la nouvelle. Et vous ?

— Il n'y a pas de mot pour exprimer ce que je ressens. Encore une fois, merci de tout cœur.

Elsa se raidit. Son ton était si formel, si poli...

— Mandy a très envie de rentrer au ranch, reprit Jeff.

— Dites-lui que tout le monde l'attend avec impatience. Surtout Charlie !

— Nous serons de retour dans une dizaine de jours. Au revoir, Elsa. Et prenez bien soin de vous.

Le cœur léger, elle partit bientôt travailler en compagnie de Rio. Ils avaient de nombreuses tâches à accomplir avant l'arrivée des pluies. Le bétail devait être rapidement déplacé des zones trop rapidement inondables vers des terrains plus secs. En cours de route, ils s'arrêtèrent à chaque point d'eau pour vérifier leur état de salubrité. Durant des jours, Elsa examina avec soin des centaines de têtes de bétail, désinfectant la moindre égratignure qui aurait pu être infectée par des piqûres d'insectes porteurs de maladies.

Tous les soirs, ils s'installaient dans un campement différent, dînaient frugalement et se glissaient dans leurs sacs de couchage, fatigués et heureux.

Suivant les conseils des Monroe, Jeff inscrivit Amanda à l'école d'orthophonie de Tucson. Elsa pensait beaucoup à la petite fille qui pour la première fois de sa vie, vivait seule hors du ranch. Elle revenait chaque week-end et, quand Elsa était là, elles passaient leurs après-midi ensemble. Depuis quelques semaines, cette dernière s'était remise à la broderie, son passe-temps favori, et, un jour qu'elles étaient assises sur les marches du perron, elle lui expliqua dans un mélange de langage parlé et de signes :

— Vois-tu, ceci est un patchwork. Tu poses le motif sur le carré de tissu et ensuite tu le couds soigneusement.

Elle lui tendit une aiguillée de fil et un morceau de tissu découpé en formes d'étoile. En tirant la langue, Amanda tenta maladroitement de passer l'aiguille à travers les deux épaisseurs de tissu. Elsa se mit derrière elle pour lui montrer comment tenir l'aiguille.

Elles étaient si concentrées dans leur tâche qu'elles n'entendirent pas Jeff arriver.

— Vous faites de la couture ?

Elsa sursauta puis leva les yeux vers lui en souriant.

— J'apprends à Mandy comment réaliser un patchwork. Vous entrez prendre un café ?

— Non merci, je suis assez pressé.

Il s'agenouilla devant sa fille et lui tendit les bras.

— Tu viens, Mandy ? Ce soir nous allons dîner chez Eileen et j'aimerais que tu prennes un bain.

La petite fille secoua vigoureusement la tête.

— Non. Je veux rester avec Elsa.

Jeff sourit.

— Mais elle t'a préparé des crêpes, comme tu les aimes.

— Je veux rester ici, répéta l'enfant avec obstination.

— Jeff, vous savez, elle ne me dérange pas du tout, dit Elsa en se levant. Si elle veut dormir ici, il y a de la place.

Jeff parut ennuyé, réfléchit, et finalement donna son accord. Amanda sauta au cou de son père pour l'embrasser puis retourna sagement à ses travaux de couture. Elsa et Jeff restèrent un instant face à face, immobiles.

— Bon eh bien, je vous laisse, toutes les deux, dit enfin ce dernier, embarrassé. Amusez-vous bien.

La jeune femme se rassit à côté d'Amanda et regarda Jeff s'éloigner. Jeff qui partait rejoindre Eileen Mc Kane... Elle poussa un profond soupir et s'attacha à suivre les gestes de Mandy qui cousait avec application.

Il était certain que l'école d'orthophonie aidait énormément la fillette. Bien qu'elle trébuchât encore sur certains mots, elle prononçait ses phrases avec de plus en plus d'aisance.

Pendant que Mandy lisait à haute voix des bandes dessinées que lui avait prêtées Rio, Elsa prépara le dîner. Lorsque l'enfant donna des signes de fatigue, elle la déshabilla, la mit au lit et resta à ses côtés jusqu'à ce qu'elle s'endorme. Ensuite elle retourna au salon, s'allongea sur le canapé et réfléchit : quand Jeff et Eileen seraient mariés — dans tout le ranch, la rumeur de leur futur mariage se faisait de plus en plus insistante — comment réagirait Amanda ? Tout le monde avait remarqué qu'à chaque fois qu'Eileen venait rendre visite à Jeff, Mandy disparaissait de la maison... De son côté, Eileen, répétait à qui voulait l'entendre que les enfants étaient bien trop « encombrants » à son goût. Elsa ne concevait pas une telle attitude : elle était révoltée. Enervée, elle sortit faire quelques pas dehors puis rentra dans la maison, abattue, en se disant qu'après tout, ceci ne la regardait pas. C'était à Jeff de décider de l'avenir de sa fille.

Novembre. Bientôt l'hiver... Elsa passait le plus clair de son temps à cheval, ou en jeep, à surveiller les troupeaux à la jumelle. De temps à autre, Jasper venait la rejoindre pour lui porter son courrier et lui donner des nouvelles du ranch.

— Vous devriez redescendre tous les week-ends lui dit-il gentiment. Mandy ne cesse de vous réclamer.

— J'ai... j'ai beaucoup de travail en ce moment, répondit-elle prudemment, sans oser lui révéler combien il était dangereux pour elle de rester près d'Amanda, donc près de Jeff...

Un matin, elle quitta à pied le campement n° 20, toujours suivie de Rebus, pour aller admirer le fameux grand canyon, dont les cow-boys lui avaient si souvent parlé.

Elle remonta le col de sa veste doublée de mouton, car à cette hauteur soufflait une bise glaciale. Soudain un détail insolite attira son attention : des traces gigantesques se distinguaient avec une parfaite netteté sur la terre desséchée par le vent. Comme si un énorme animal s'était traîné là, ou plutôt un énorme engin... Voyons, c'était impossible, songea Elsa. Aucun véhicule motorisé ne pouvait arriver jusqu'ici. Intriguée, la jeune femme suivit les traces sur plusieurs centaines de mètres. Elles paraissaient s'arrêter avant un ravin abrupt, impossible à franchir. Elle leva les yeux et contempla la haute chaîne de montagnes qui séparait le ranch Wagner du ranch O'Toole, mis en vente depuis le décès de son propriétaire, quelques mois plus tôt. Le mystère était complet...

Elsa se souvint alors d'avoir vu des traces vaguement similaires non loin du camp 19, un jour où elle cherchait un groupe de cinquante génisses qu'elle avait marquées au printemps. Elle était certaine de les avoir laissées dans cette zone et depuis, elle n'était plus parvenue à les localiser. Elle se promit d'en parler à Steve dès son retour au ranch.

Le soir du Thanksgiving Day, c'est-à-dire le dernier jeudi de novembre, elle alla dîner chez les Hilton, tandis que Rio était invité chez les Sandoval.

Steve découpait la traditionnelle dinde, quand

Jasper entra et se laissa tomber sur un fauteuil en soupirant.

— Ouf! Je reviens de chez Jeff. Il avait invité Eileen et quelques-unes de ses amies, alors j'ai inventé n'importe quel prétexte pour m'éclipser. Décidément je ne peux pas supporter Eileen plus de dix minutes, conclut-il en riant.

— Voyons, Jasper, la plupart des hommes adorent passer la soirée en sa compagnie, pour le seul plaisir de la regarder, plaisanta Jamie. Rien ne t'oblige à écouter sa conversation!

— Mes oreilles sont trop sensibles sans doute, répondit l'avocat.

— Toi, tu penses que l'atmosphère du ranch va devenir irrespirable quand Jeff l'aura épousée, remarqua Steve. Et tu n'es pas le seul, hélas...

— Une chose est certaine, elle ne ressemble pas à Myra, soupira Jasper en lançant un bref coup d'œil en direction d'Elsa.

Pour changer de sujet de conversation, cette dernière leur parla du bétail manquant et des traces étranges qu'elle avait vues dans le canyon.

— Tu sais, il arrive souvent que des bêtes disparaissent durant un mois ou deux. la propriété est immense et une centaine de bêtes peuvent aisément trouver refuge dans les montagnes, expliqua Steve. Quant aux traces, je ne vois vraiment pas de quoi il peut s'agir.

— Vous avez fini tous les trois de toujours parler de vaches! s'exclama Jamie, mi-sérieuse, mi-plaisantant. Saviez-vous qu'après Noël, notre petite

Amanda ira dans un cours privé de Tucson et qu'elle ne rentrera au ranch que pour les vacances ?

— Je... je pensais qu'un instituteur serait venu lui donner des cours ici, répondit Elsa, bouleversée.

— Miss Mc Kane tient à ce qu'elle reçoive une « bonne éducation » et je crois qu'elle veut l'éloigner de la « mauvaise influence » de certaines personnes...

A cet instant, Elsa eut l'intuition que Jamie avait deviné ce qui s'était passé entre elle et Jeff à Newark...

Dès la fin du repas, elle prit congé de ses amis, et partit à grand pas vers la maison de Jeff. La colère bouillonnait en elle. « Bonne éducation », « mauvaise influence » ! De qui se moquait-on ? Oser mettre à l'internat une petite fille de sept ans !

Elle passa d'abord par la cuisine dire bonjour à Lily. Le visage de la cuisinière s'épanouit.

— Miss Elsa ! Quel bonheur de vous voir ! Vous dînerez ici ?

— Surtout pas Lily ! Votre cuisine n'est pas recommandée pour ma ligne ! Non, en réalité j'ai déjà dîné chez les Hilton. Jeff est-il là ? ajouta-t-elle d'un ton dégagé.

— Oui, il prend le café dans le living-room avec Miss Eileen.

Elsa suivit le long corridor qui menait au grand salon. Par la porte entrebâillée, elle aperçut Jeff, debout près de la cheminée. Eileen Mc Kane était nonchalamment allongée sur le divan, sa tasse de café à la main. Durant une fraction de seconde, Elsa faillit rebrousser chemin, mais elle se ressaisit.

Rassemblant tout son courage, elle frappa à la porte et entra dans la pièce.

Dès qu'il la vit, Jeff s'approcha d'elle en souriant.

— Bonsoir, Elsa. Voulez-vous boire quelque chose ?

— Non merci. Excusez-moi de vous déranger, mais... je voudrais vous parler.

— Bien sûr. De quoi s'agit-il ?

Elsa jeta un coup d'œil à Eileen, qui la regardait d'un air profondément ennuyé, puis répondit :

— Il s'agit d'Amanda. J'ai appris que vous comptiez l'envoyer à Tucson jusqu'à la fin de l'année scolaire ? Pourquoi ne pas lui payer un éducateur à domicile ? La directrice de l'école pourrait vous conseiller un bon précepteur...

— Les médecins de Tucson préfèrent qu'elle soit sur place pour contrôler ses progrès.

Elsa savait qu'il avait parfaitement le droit de lui répondre que cette affaire ne la regardait pas, mais elle se permit d'ajouter, d'une voix mal assurée :

— Je vous assure qu'elle serait bien mieux ici, auprès de vous...

— Et de vous surtout... fit la voix suave d'Eileen.

Cette dernière était vêtue d'une robe de satin vert amande qui s'accordait merveilleusement à sa blondeur.

Elsa se tourna résolument vers Jeff, mais avant qu'elle ait pu riposter, Eileen poursuivit :

— Amanda sera bien mieux à l'école, avec des enfants comme elle, loin de gens comme vous.

« Des gens comme vous » ! Quel toupet ! Une phrase cinglante monta aux lèvres d'Elsa, mais elle la ravala et choisit d'ignorer surperbement son interlocutrice.

— Vous croyez-vous donc capable de décider à la place des médecins, Elsa ? s'enquit Jeff d'un ton ironique. Il n'y a pas si longtemps, vous souteniez que l'on devait leur faire confiance...

— En effet, mais rien ne vous empêche d'amener Mandy en consultation à Tucson...

— Rassurez-vous, j'irai la voir chaque fin de semaine. Et je n'interdis à personne d'aller lui rendre visite.

— Jeff, il s'agit de l'intérêt de votre fille et je...

— Elle sera de retour pour nos fiançailles, au début du mois de juin, intervint Eileen. Vous savez que je vais épouser Jeff, n'est-ce pas, Miss Whitelake ?

Elsa regarda Jeff, qui détourna les yeux, visiblement gêné.

— Non, je ne savais pas, mentit-elle. Mes félicitations.

Sur ce, elle se dirigea vers la porte, la tête droite. Avant de la refermer derrière elle, elle se retourna et dit calmement :

— Je comprends que vous vouliez tenir Amanda à l'écart pendant les préparatifs des fiançailles. Les enfants sont tellement encombrants...

Une fois dehors, elle ne put endiguer le flot de larmes qui lui montaient aux yeux. Depuis quand n'avait-elle pas pleuré ainsi ? Depuis que Tim l'avait insultée parce qu'elle ne pouvait pas lui donner d'enfants...

Sans chercher à essuyer les larmes qui coulaient

sur ses joues, elle courut jusque chez elle. Par bonheur, Rio n'était pas encore rentré. Il ne la verrait pas pleurer. Rebus, qui l'attendit devant la porte, rentra avec elle à l'intérieur de la maison. Elle alla directement s'asseoir près de la fenêtre, sans prendre la peine d'allumer la lumière et se recroquevilla sur son fauteuil, sans savoir si elle pleurait pour Mandy ou pour elle-même. Rebus poussa un gémissement plaintif et lui lécha gentiment la main. Attendrie, Elsa hissa le vieux chien sur ses genoux et ils demeurèrent ainsi tous les deux, dans la pénombre. Une heure plus tard, elle se leva pour boire un verre d'eau et rincer son visage. Elle vit alors Rebus dresser soudain les oreilles et se diriger vers la porte en grognant.

— Qui est là ?

— C'est moi, Jeff. Puis-je entrer ?

Quand il apparut sur le seuil, un seul regard lui suffit pour comprendre qu'il était furieux.

— Pour qui vous prenez-vous ? s'exclama-t-il en s'avançant vers elle. Vous croyez savoir ce qui est bon ou non pour Amanda ? L'intimité que nous avons partagée une nuit ne vous autorise pas à me dicter ma conduite !

La jeune femme rejeta la tête en arrière, comme s'il l'avait giflée. La douleur qu'elle ressentait était si intense qu'elle pressa involontairement ses mains contre son cœur.

— Qu'ai-je donc fait pour mériter pareil éclat ? murmura-t-elle faiblement.

Jeff ne répondit pas, ce qui lui laissa le temps de se ressaisir.

— Si vous pensez réellement ce que vous venez de dire, reprit-elle d'une voix raffermie, vous pouvez quitter cette pièce immédiatement. A l'avenir, je vous promets de ne plus jamais intervenir dans vos problèmes personnels.

Elle lui tourna le dos et entra dans sa chambre qu'elle ferma à clé. Il y eut un long silence, puis la voix de Jeff s'éleva de l'autre côté de la cloison.

— Elsa, ouvrez-moi.

Par deux fois, il réitéra sa question, puis devant le silence de la jeune femme, il jura entre ses dents et partit en claquant la porte.

Le lendemain matin, Elsa se leva à l'aurore. Chaudement vêtue, elle quitta sa maison tandis que tout le ranch dormait encore...

Avec Rebus sur les talons, elle partit en direction des montagnes et atteignit deux heures plus tard l'endroit où elle avait remarqué les traces étranges quinze jours auparavant. Celles-ci étaient toujours aussi visibles. Elsa les étudia attentivement, puis, ne comprenant toujours pas leur origine, elle secoua la tête, découragée, et contempla tout autour d'elle l'infini du désert entouré des hautes cimes battues par les vents. Il leur faudrait des jours, voire des semaines, pour repérer et rassembler les troupeaux avant les grands froids.

On était samedi. Ce soir-là, Elsa se rendit directement au bal, sans repasser par le ranch. Au moment où elle sortait de sa camionnette, elle vit arriver la jeep des Hilton.

— Tiens, une revenante! s'exclama Jamie en

sautant hors du véhicule. Toi, tu as encore maigri, ajouta-t-elle en fronçant les sourcils.

— Jamie... tu me dis cela à chaque fois que nous nous voyons !

— As-tu trouvé de nouvelles traces ? interrogea Steve en refermant la portière de la voiture.

— Non, j'ai abandonné mes recherches. De toute façon, elles ne mènent à rien.

A peine furent-ils entrés dans la salle de bal, que le public leur réclama une chanson.

— Par quoi commence-t-on ? demanda Steve. « Crying times » ?

— Pourquoi pas ? répondit Elsa sans hésiter.

Après avoir joué trois morceaux, elle quitta l'estrade pour aller danser, puis rejoignit Jamie et Steve à leur table.

— Veux-tu rentrer au ranch avec nous ? lui proposa Jamie. Tu as l'air fatiguée. Nous reviendrons chercher ta camionnette demain matin.

— C'est très gentil à vous, mais je préfère retourner directement au camp 19. Si vous voyez Rio, demandez-lui de venir me rejoindre demain ou lundi.

— Décidément, tu ne penses qu'à ton travail. J'espère tout de même que tu repasseras nous dire bonjour avant Noël !

Un beau clair de lune baignait le paysage d'une lumière argentée lorsque Elsa atteignit le camp 19. Tout de suite, un détail attira son attention : une volute de fumée s'élevait de la cheminée du cabanon de bois. Or, elle n'avait pas allumé le feu avant de partir.. Un sourd grondement s'échappa de la gorge de Rebus, assis à côté d'elle.

— Tout doux, Rebus...

Elle aperçut alors la jeep blanche de Jeff garée à l'angle du cabanon. Elle bondit hors de sa camionnette, le cœur battant. Quelque chose était-il arrivé à Rio, ou à Mandy ? La porte s'ouvrit avant même qu'elle ait soulevé le locquet.

— Où étiez-vous ? fit Jeff d'une voix sèche.

— Que se passe-t-il ? s'écria-t-elle, affolée.

— Tout va très bien. Mais je vous attends depuis plusieurs heures. Je vous ai crue perdue dans la montagne.

Elsa s'assit sur la banquette, pour reprendre son souffle.

— Et moi qui croyais qu'il était arrivé quelque chose à Rio. Mais au fait... comment saviez-vous que j'étais ici ?

— Je vous ai cherchée un peu partout. Un cowboy m'a dit qu'il avait vu une camionnette bleue se diriger ce matin vers le camp 19.

Elsa frissonna et se releva pour aller réchauffer ses mains au-dessus du gros poêle ventru.

— Vous vous demandez sans doute pourquoi je suis là...

Voyant que la jeune femme ne réagissait pas, il prit une profonde inspiration et déclara :

— Eh bien, je suis venu m'excuser pour hier soir. Tout ce que je vous ai dit est impardonnable.

Elsa leva vers lui un regard moqueur.

— Pourquoi donc ? En tant que futur marié, vous êtes tenu à certaines obligations...

— Ne soyez pas si dure, Elsa. J'aimerais retirer mes paroles, mais puisque c'est impossible, je vous prie d'accepter mes excuses.

— Je les accepte. Maintenant, je vous en prie, laissez-moi seule.

— Non, je veux rester avec vous. Je veux vous prendre dans mes bras...

Elle se retourna vivement. Ses yeux turquoise lançaient des éclairs.

— Vous oubliez que vous êtes fiancé...

— Pas encore. Elsa, j'ai cru remarquer que vous n'aimiez pas Eileen. Pourquoi vous embarrasser de scrupules...

— Vous vous méprenez sur mon compte ! s'exclama-t-elle, choquée.

Jeff s'était adossé aux épais rondins qui constituaient le mur de cabanon. Il ne quittait pas des yeux la jeune femme qui lui faisait face, belliqueuse, les poings sur les hanches.

— La colère vous embellit...

« Je devrais lui dire que je l'aime, songea-t-elle, l'espace d'un éclair. Cela le ferait fuir. »

— Partez, Jeff. Nous ne devons plus nous voir. D'ailleurs, si vous voulez que je vous remette ma démission...

Il partit d'un grand éclat de rire.

— Vous êtes un excellent vétérinaire ! Je n'ai aucune envie de vous remplacer...

Il détailla avec admiration sa mince silhouette puis son regard glissa vers ses longues mains fines, qui ne portaient ni bague, ni anneau.

— Vous ne m'avez encore jamais parlé de la

cause de votre divorce, Elsa. Votre mari avait-il une maîtresse ? Ou bien alors... y avait-il un autre homme dans votre vie ?

Elle serra nerveusement ses mains l'une contre l'autre.

— Non, rien de tout cela. Pourquoi toutes ces questions ? Je ne tiens pas à parler de mon passé. J'étais enfin parvenue à l'oublier.

Elle se baissa pour prendre un jerrycan d'eau potable, en versa un peu dans une petite casserole qu'elle mit sur le poêle, puis elle prit un pot de café instantané sur une étagère, deux tasses et une boîte de sucre et posa le tout sur le cageot retourné qui faisait office de table.

— Je veux bien vous parler de mon mariage, mais j'ai besoin de boire quelque chose de chaud. J'ai rencontré Tim alors que j'étais encore étudiante. Il était grand, blond, sportif. Nous sommes restés fiancés un an, puis nous nous sommes mariés...

Elle s'interrompit pour continuer ses préparatifs.

— Nous sommes restés mariés deux ans, et puis Tim a demandé le divorce.

— Pas d'enfants ?

— Non, pas d'enfants, répondit-elle d'une voix neutre.

Jeff but une gorgée de café, dont l'amertume lui arracha une grimace.

— Tout de même, on ne divorce pas ainsi sans raison, remarqua-t-il à mi-voix. Vous ne vouliez peut-être pas d'enfants ?

Elsa haussa les épaules, en essayant de conserver un air parfaitement indifférent.

— L'occasion ne s'est pas présentée.

A cet instant, des scènes de cauchemars qu'elle avait crues à jamais oubliées resurgirent dans sa mémoire. La stupéfaction de Tim après le verdict du médecin, sa colère, ses soupçons. Il l'avait accusée de prendre la pilule en cachette, de ne pas vouloir d'enfant pour ne pas abîmer son beau corps. Puis les semaines et les mois de vie commune sans qu'il lui adressât la parole. Et enfin, le divorce.

— Elsa, tout va bien ?

Elle revint brusquement à la réalité et regarda sa tasse vide.

— Oui, oui... Encore un peu de café ?

— Volontiers. Il est un peu amer, mais cela réchauffe ! Vous savez, Elsa, vous êtes merveilleuse. Beaucoup d'hommes aimeraient avoir une femme comme vous pour épouse. Je m'étonne que vous n'ayez pas retrouvé un compagnon...

— Je ne suis pas seule, Jeff. J'ai Rio, Rebus et beaucoup d'amis. Et puis, la vie est longue, n'est-ce pas ?

Ils restèrent silencieux durant plusieurs minutes, mais Elsa sentait le regard de son visiteur fixé sur elle.

— Vous ne voulez vraiment pas que je reste ? dit-il enfin.

— Non.

Il se leva et elle l'accompagna jusqu'à sa voiture.

— Je dois m'absenter quelques jours avec Jasper. Nous allons à une vente aux enchères à Abilene. Si vous avez besoin de quoi que ce soit, contactez Steve par radio.

Il leva la tête pour contempler le ciel étoilé et respira profondément.

— Vous passez beaucoup de temps dans ces montagnes, Elsa. Vous ne ressentez jamais le besoin d'une compagnie ?

— Je ne me sens jamais seule, ici, dans le désert, dit-elle d'une voix douce.

Il sourit.

— C'est curieux, au début j'étais persuadé que vous ne resteriez pas ici et que vous retourneriez à El Paso.

— Dans ce cas, pourquoi m'avoir engagée ?

— Ce n'est pas moi qui vous ai engagée, mais Steve. Et j'ai en lui une confiance absolue.

Il se pencha en avant et sans lui laisser le temps de réagir, lui vola un baiser.

— Au revoir, Elsa.

— Au revoir, Jeff.

Elle rentra à pas lents dans le cabanon, en écoutant le moteur de la jeep rugir dans la nuit...

Chapitre 8

Les vacances de Noël approchaient. Durant plusieurs jours, Elsa et Rio s'assurèrent que le bétail était bien à l'intérieur des zones protégées et vérifièrent qu'aucun cheval ne s'était blessé en dévalant les gorges abruptes des ravins. Un matin, alors qu'ils soignaient une vache malade, ils virent arriver Jasper, le chapeau bien planté sur ses cheveux poivre et sel. Il tenait deux enveloppes à la main.

— Eh bien, il faut une carte et une boussole, pour vous retrouver tous les deux ! Comment allez-vous ?

Elsa lui sourit et Rio se leva pour lui serrer la main.

— Vous avez retrouvé tout le bétail manquant ? demanda Jasper en se penchant pour examiner la vache.

Elsa passa la main dans ses cheveux.

— Non. Je cherchais environ cent cinquante têtes, et je n'en ai réuni que soixante-dix.

— Vous avez l'intention de les compter une par une ? Vous savez, il y a beaucoup d'endroits pour jouer à cache-cache avec les vaches dans ces canyons.

Son regard bleu balaya les cîmes des montagnes.

— Nous les verrons réapparaître au printemps, pour les premiers vêlages. Ah ! J'oubliais de vous donner ceci, dit-il en leur tendant une enveloppe à chacun. Ce sont vos salaires. Jeff me charge de vous dire que les vacances commencent officiellement après-demain, et réclame votre présence à tous deux chez lui, pour le grand bal du 23.

— Nous sommes le dix-huit, n'est-ce pas ? nota Elsa en consultant rapidement son agenda de poche.

— Oui. Et il est bientôt midi ! Voulez-vous que je vous aide à terminer votre travail ?

— Non merci. Je me débrouillerai toute seule. Si vous pouviez ramener Rio et Rebus au ranch, vous me rendriez service.

— Elsa, je ne veux pas te laisser toute seule, protesta le jeune homme. A nous deux nous aurons plus vite fini.

Elsa sourit. Elle savait que Rio avait hâte d'aller retrouver la jolie Nada, qu'il n'avait pas vue depuis quinze jours.

— Pars avec Jasper, Rio. Je te ramènerai ton matériel de peinture.

— D'accord. Mais promets-moi de ne pas ouvrir le carton à dessin.

— C'est promis.

Elle les regarda s'éloigner, puis retourna à son travail, tout en pensant à ce fameux bal. Elle n'avait guère envie de s'y rendre, mais Jamie lui avait bien spécifié que Jeff exigeait la présence de tous les membres de son personnel.

Avant le coucher du soleil, elle avait fini de vaporiser une solution antiseptique sur les sabots et les paturons de centaines de vaches. Ainsi, tout risque d'infection serait prévenu d'ici son prochain passage.

Elle mit la main devant ses yeux et explora encore une fois du regard les sombres canyons, se demandant comment elle avait pu passer à côté d'un groupe de plus de cinquante vaches sans les voir. Jasper avait raison. Elles reviendraient à la belle saison...

Le lendemain, au lieu de retourner directement au ranch, elle se rendit à Tombstone pour s'acheter une robe pour le bal. Après beaucoup d'hésitation, elle entra dans une boutique de prêt-à-porter à la mode.

— Vous désirez quelque chose ? s'enquit la vendeuse, qui ne put dissimuler sa surprise à la vue de cette cliente vêtue d'une chemise de flanelle, d'un jean élimé et de bottes poussiéreuses.

— Je... J'ai besoin d'une robe pour les fêtes, balbutia-t-elle, mal à l'aise.

— Suivez-moi, je vous prie, fit la vendeuse d'un ton pincé. Avez-vous une préférence pour la couleur ?

Elsa réfléchit : Eileen serait certainement vêtue de rouge vif ou de blanc, Jamie adorait le rose, Mme Sandoval portait des tissus fleuris...

— Puis-je essayer celle-ci ? décida-t-elle en désignant une robe de jersey de soie jaune pâle.

La jeune femme décrocha le vêtement de son

cintre et lui désigna le salon d'essayage. Là, Elsa se débarrassa de sa tenue de travail et de ses bottes et enfila la robe légère qui glissa sur son corps avec un bruissement soyeux. Elle remonta la fermeture Eclair aussi haut qu'elle put, avant de demander l'aide de la vendeuse. Celle-ci la détailla des pieds à la tête avec une admiration non dissimulée.

— Elle vous va à ravir, madame. Si vous voulez, nous avons des sandales assorties...

Les sandales complétaient parfaitement la tenue. Tout en tournoyant devant la glace, Elsa se demanda avec humour qui pourrait bien se soucier de la façon dont elle était habillée après tout...

Au moment de quitter le magasin, satisfaite de ses emplettes, elle pensa soudain à Mandy. Qu'allait-elle lui offrir pour Noël ? Elle se promena dans les rues illuminées de guirlandes multicolores et porta son choix sur une boutique de vêtements pour enfants où l'accueillit une vieille dame au charmant sourire. Elle y fit l'acquisition d'une ravissante robe bleu roi, au col et aux poignets de dentelle.

Toutes ces courses lui avaient ouvert l'appétit et elle entra dans une petite crêperie où elle commanda deux crêpes salées et un bol de cidre. Elle ne cessait de penser à cette soirée qui sonnerait le glas d'un bonheur éphémère, car elle était certaine que Jeff et Eileen profiteraient de ce bal pour annoncer officiellement leurs fiançailles. Comment réagirait-elle à cette nouvelle ? Eh bien, comme tout le monde, en souriant et en souhaitant aux futurs époux ses meilleurs vœux de bonheur !

Elle pensait également à Rio, qui allait bientôt

entrer à l'Université ; son absence lui causerait un surcroît de travail, mais ainsi elle aurait tant à faire qu'elle oublierait Jeff. Du moins l'espérait-elle...

Il était tard lorsqu'elle arriva chez elle. Dès qu'elle ouvrit la portière, Rebus l'accueillit avec des jappements joyeux. Elle lui gratta affectueusement la tête et porta ses paquets dans le salon. Après plus de quinze jours d'absence, la maison était froide et humide. Elle brancha le radiateur dans la cuisine et alluma un petit feu dans la cheminée. Puis elle sortit sa robe du paquet de papier kraft, défroissa ses plis et alla l'accrocher dans la grande penderie en noyer.

— Tu viens, Rebus ? Je vais dire bonjour à Lily et Hazel, et leur montrer la robe d'Amanda.

Elle quitta la maison, après avoir mis une grosse bûche dans la cheminée pour garder un peu de chaleur jusqu'à son retour.

Au moment où elle arrivait devant la grande maison, elle vit la Mercedes de Jeff s'arrêter dans un nuage de poussière et Amanda en descendre précipitamment. Elsa lui ouvrit tout grand les bras.

— Mandy ! Depuis quand es-tu revenue ?

— Dimanche, je suis revenue dimanche ! cria la fillette, si heureuse qu'elle mélangeait les gestes et les mots.

— Nous allions goûter. Voulez-vous vous joindre à nous ? dit Jeff en l'invitant à entrer dans la maison.

Au passage, Elsa lui demanda discrètement :

— Est-ce que Mandy aime le bleu ?

— Oui, c'est sa couleur préférée, pourquoi ?

— Je... je lui ai acheté une robe bleue pour le bal.

— Elsa, il ne fallait pas... C'est vraiment trop gentil.

Ils s'assirent tous les trois à la table de la cuisine, face à la grande baie vitrée. Lily avait préparé du poulet, de la salade, des petits pains chauds et du fromage, qu'ils dégustèrent avec appétit.

— Elsa, viendras-tu à la fête de Noël ? demanda Mandy.

— Oui, bien sûr. Et toi ?

— Evidemment ! J'ai hâte de voir ce que m'a apporté le père Noël.

— Comment sais-tu qu'il va passer par ici ?

L'enfant fronça les sourcils.

— Il passe tous les ans, n'est-ce pas papa ?

Jeff hocha la tête et répondit d'un ton faussement sérieux :

— Oui, mais cette année tu n'as besoin de rien. Il ne passera peut-être pas.

Amanda ouvrit de grands yeux.

— Mes affaires sont trop petites et mes bottes ont des trous ! Le père Noël le sait...

— Nous verrons bien... Allez, hop ! on va aller voir Hazel. Tu as besoin de prendre un bain. Je reviens tout de suite, ajouta-t-il à l'adresse d'Elsa.

Après Noël, Mandy partirait pour Tucson, jusqu'au mois de juin. Elle ne la verrait plus, excepté pour les vacances, mais finalement c'était peut-être mieux ainsi. Elle s'attachait trop à cette enfant... Pour s'occuper en attendant Jeff, elle se leva, débarrassa la table et fit la vaisselle.

— Ça y est ! Hazel a réussi à lui faire prendre un

bain, s'exclama-t-il en revenant dans la cuisine. Voyez-vous, ma fille n'aime pas l'eau...

— Quand j'étais petite, mon père devait me promettre la lune pour que j'accepte de me laver! observa Elsa. Voulez-vous voir sa robe?

Elle défit le paquet et plaça la robe devant elle.

— Elle est vraiment très jolie, dit Jeff en effleurant le doux tissu. Je suis sûr qu'Amanda en sera folle. Oh, à propos, avez-vous un cavalier pour le bal?

— Oui, je pense. Jim Summers m'a invitée chez lui à plusieurs reprises et comme je n'ai jamais eu le temps d'y aller, je me suis fait pardonner en acceptant d'être sa cavalière.

Jim Summers possédait un ranch dans la région d'Apache Junction, à une centaine de kilomètres de là. Elsa dansait souvent avec lui au bal de Tomstone.

Jeff fronça les sourcils.

— Jim? Mais il pourrait être votre père!

— Qu'allez-vous imaginer? Vous ne croyez tout de même pas que Jim Summers me fait la cour? En fait, je le soupçonne de chercher un vétérinaire!

— Ne vous fâchez pas. Je suis un peu surpris, voilà tout. Elsa...

Il la prit par la taille et l'attira doucement contre lui.

— Je voulais vous souhaiter un bon Noël.

— Merci, Jeff. Je... Vous devriez demander à Hazel de faire essayer la robe à Mandy. Si elle a besoin d'une retouche, je pourrais la coudre avant le bal. Maintenant, excusez-moi, je dois rentrer chez moi. Rio n'a pas ses clés et je ne veux pas le faire attendre.

C'était complètement faux, mais elle craignait de s'attarder une minute de plus dans la pièce. « Souviens-toi qu'il va se marier, lui répétait une petite voix, tandis qu'elle s'enfuyait misérablement chez elle.

La soirée était commencée quand Elsa entra dans le grand salon. Elle ouvrit de grands yeux en découvrant tous les cow-boys habillés en smoking !

Steve et Jamie s'avancèrent vers elle, tendrement enlaçés.

— C'est incroyable ! Je ne reconnais personne dans ces beaux costumes !

— Elsa, dit Steve, en lui prenant la main pour y déposer un galant baiser, tu es la plus jolie femme de la soirée, exceptée Jamie, bien entendu...

— Dis-moi, où est passé Jim Summers ? s'enquit cette dernière. Je ne le vois nulle part.

Elsa sourit.

— Pauvre Jim ! Il m'a téléphoné ce matin pour me dire qu'une grosse grippe l'obligeait à garder le lit.

Jasper se joignit bientôt à eux, très élégant dans un smoking bleu sombre, une chemise blanche et un magnifique nœud papillon. Elsa s'était toujours demandé pourquoi un homme si séduisant était resté célibataire, jusqu'à ce que Jamie lui explique que la fiancée de Jasper s'était tuée dans un accident de voiture alors qu'il était au Viêt-Nam.

— Joyeux Noël, charmantes dames, dit-il en

s'inclinant devant les jeunes femmes. A toi aussi, Steve. Elsa, nous pourrions associer nos deux solitudes à l'occasion de cette belle soirée, qu'en pensez-vous ?

Joignant le geste à la parole, il la prit par la taille et l'entraîna au milieu des danseurs. Ils passèrent en valsant devant un appétissant buffet garni.

— Une coupe de champagne, Elsa ?

— Volontiers ! Non, pas de toasts, merci. Ma robe est trop ajustée !

— Je ne vous ai pas encore dit qu'elle était ravissante. A la plus belle femme de l'Arizona ? dit-il en lui tendant une coupe de champagne.

Au moment où elle portait le verre à ses lèvres, Elsa vit Jeff et Eileen entrer dans le salon. Cette dernière portait une éblouissante robe rouge vif à volants qui virevoltait autour de ses jambes superbes. Dans ses cheveux blonds, de minuscules paillettes d'or et d'argent scintillaient à la lumière. Elsa détourna les yeux, regrettant soudain d'être venue. « Si seulement j'avais eu la bonne idée de tomber malade, songea-t-elle, à l'heure qu'il est je serais couchée dans mon lit douillet à boire des tisanes et lire des bandes dessinées. Et je suis là à attendre que l'homme que j'aime annonce ses fiançailles avec une riche héritière. »

On la tira soudain par le bras : c'était Amanda. Elle levait son visage souriant vers Elsa. Le bleu-roi de la robe lui allait à merveille, rehaussant son teint clair et le gris de ses yeux.

— Tu es magnifique, Mandy !

— Mon papa m'a dit que c'est toi qui l'a achetée. Merci Elsa.

Quand elle était émue, la fillette avait encore du mal à prononcer certains mots et Elsa la serra très fort dans ses bras, refoulant les larmes qui lui montaient aux yeux. En se relevant, elle aperçut Rio qui s'approchait en souriant.

— C'est aujourd'hui seulement que je me rends compte à quel point tu as grandi ! s'exclama-t-elle. Quand nous sommes arrivés au ranch, je n'étais pas obligée de lever les yeux pour te parler...

Le jeune homme rit de bon cœur puis s'inclina devant Mandy.

— Miss Amanda Wagner, m'accorderez-vous cette danse ?

Surprise, la petite fille regarda tour à tour Elsa et Jasper, puis hocha la tête d'un air intimidé. Rio l'enleva dans ses bras et la fit tournoyer dans les airs.

Elsa et Jasper contemplèrent la scène d'un œil attendri.

— Ils grandissent, n'est-ce pas ? remarqua ce dernier.

— Oui, acquiesça la jeune femme, et nous nous vieillissons...

— Venez, grand-mère, plaisanta-t-il d'une voix chevrotante, nous allons voir si vous savez danser le rock.

A ce moment, Jeff s'avança vers eux.

— Je vois que tout le monde s'amuse, dit-il en souriant. Jim Summers n'est pas encore arrivé ?

— Le pauvre a la grippe, expliqua Elsa. Heureusement, Jasper s'est porté remplaçant...

— Jasper, m'autorises-tu à inviter cette jeune personne à danser ?

L'avocat lâcha aussitôt la main d'Elsa et s'inclina devant Jeff avec cérémonie.

— Vos désirs sont des ordres, patron ! répondit-il en imitant l'accent rocailleux des cow-boys.

Dès les premières mesures du slow, la jeune femme, grisée par le champagne, perdit le sens de la réalité et se laissa aller contre l'épaule de Jeff.

— Votre robe est ravissante, lui chuchota-t-il à l'oreille. Regardez, vous êtes la seule à porter du jaune…

Elle releva la tête et croisa à cet instant le regard d'Eileen Mc Kane, dont la moue hautaine exprimait clairement la désapprobation.

A la fin du morceau, Jeff la raccompagna auprès de Jasper, qui bavardait avec Steve et Jamie. Tandis qu'il échangeait quelques mots avec ses amis, Elsa remarqua qu'Eileen commençait à s'impatienter et lançait des coups d'œil furibonds dans leur direction. Finalement, elle s'avança vers leur petit groupe, le menton relevé.

— Jeff, peux-tu aller me chercher quelque chose à boire ? demanda-t-elle d'une voix sucrée.

Dès qu'il se fut éloigné, elle se tourna vers Elsa. Cette fois, son intonation était bien différente.

— J'ai entendu dire que vous aviez perdu des têtes de bétail. Etes-vous bien sûre de les avoir cherchées partout ?

Sur cette belle phrase, elle tourna les talons et s'éloigna avec un petit haussement d'épaules.

Vers minuit, toute l'assemblée attendait encore l'annonce des fiançailles.

« Mon Dieu, qu'on en finisse, que je puisse enfin rentrer chez moi », priait Elsa en silence. Mandy était depuis longtemps partie se coucher et Rio était allé raccompagner Nada chez elle.

Plus la soirée s'éternisait, plus la jeune femme sentait croître sa nervosité.

— Y aurait-il encore quelque chose à grignoter ? demanda-t-elle à Carue qui passait par là.

— Allons faire un tour du côté du buffet, répondit ce dernier en la prenant par le bras.

Le buffet débordait encore de victuailles et de gâteaux. Carue lui tendit une assiette remplie de petits toasts au fromage.

— Oh, je n'en veux pas tant ! Sinon je n'arriverai jamais à dormir.

— C'est la fête ce soir, lui rappela le métis en riant. Vous êtes en vacances non ? Vous pourrez dormir jusqu'au jour de l'An !

— Détrompez-vous. Je dois emmener Rio à Tuscon pour l'aider à s'installer dans son studio.

— Il m'a confié qu'il voulait devenir vétérinaire lui aussi. Il faut reconnaître qu'il a un bon professeur...

Une moue malicieuse se peignit sur les lèvres d'Elsa.

— Pourtant, je crois me souvenir que la première fois que vous m'avez vue...

— C'est bon, c'est bon, grommela Carue, vexé. Tout le monde peut se tromper.

A cet instant, l'orchestre attaqua le quadrille qui

clôturait généralement la fin des bals. Surprise, Elsa parcourut lentement la pièce des yeux. Apparemment, Eileen n'était plus là, et Jeff n'avait toujours pas annoncé ses fiançailles.

Chapitre 9

Immobile dans son lit, Elsa ne cessait de penser au bal qui s'était déroulé la veille, et à la remarque d'Eileen à propos du bétail égaré. Celle-ci n'avait-elle pas insinué qu'elle la considérait responsable de la disparition des vaches ?

Quelques jours plus tôt, Jasper lui avait appris qu'Eileen venait de racheter la propriété O'Toole, située de l'autre côté de la montagne, au-delà du camp n° 20. Un moment, Jeff avait songé à l'acquérir, puis y avait renoncé, jugeant inutile de voir sa propriété coupée en deux par une montagne, ce qui occasionnerait un surcroît de travail pour nourrir et rassembler le bétail.

En soupirant, elle se glissa hors de son lit. Encore quelques heures, et les membres du ranch se trouveraient à nouveau réunis pour le réveillon, autour du grand sapin de Noël décoré d'étoiles, de boules multicolores et de serpentins. Jeff et Eileen profiteraient sans doute de cette réunion plus intime pour annoncer leurs fiançailles...

Après avoir pris une douche, elle rassembla devant la porte les cadeaux qu'elle comptait offrir à ses amis. Durant les longues soirées qu'elle avait passées seule ou avec Rio dans les camps, elle avait patiemment assemblé, cousu, brodé divers tissus qui, sous ses doigts habiles, se transformaient en véritables œuvres d'art.

Une fois dehors, elle remonta le col de sa veste pour se protéger du vent glacé venu des montagnes. Il n'y avait pas un nuage dans le ciel. Elle empila ses paquets à l'arrière de la camionnette, siffla Rebus et partit pour le ranch.

Elle frappa à la porte, mais personne ne répondit. Elle se permit alors d'entrer dans la grande cuisine où flottait une bonne odeur de pain chaud et de café. Ne voyant apparaître aucun habitant de la maison, elle alla déposer ses cadeaux au pied du sapin de Noël, puis revint à la cuisine et se servit un bol de café, qu'elle but debout près de la fenêtre. Toujours personne... Elle rinça le bol, puis remonta dans sa camionnette et partit en direction des montagnes.

Un par un, elle visita chacun des campements, pour souhaiter un joyeux Noël à tous les cow-boys, et rentra chez elle vers midi. Elle trouva sur sa porte un petit mot de Jamie l'invitant à déjeuner, et s'y rendit immédiatement, sans prendre le temps de se changer.

— Vraiment, je me demande ce qui s'est passé hier soir, dit Jamie d'un air intrigué, avant même qu'Elsa eût franchi le seuil de sa porte.

— Hier soir ?

— Pourquoi n'ont-ils pas annoncé leurs fiançailles ? Tout le monde pensait que ce serait l'événement de la soirée.

Steve, d'ordinaire peu enclin à ce genre de discussion, paraissait lui aussi très étonné.

— Je ne comprends pas pourquoi ils ont manqué une si belle occasion... Sais-tu qu'Eileen a racheté le ranch O'Toole ?

— Oui, Jasper m'a prévenue. Je crains que notre bétail soit passé dans sa propriété.

Elsa fit la grimace et ajouta :

— J'ai intérêt à retrouver les vaches avant qu'elle ne m'accuse de pénétrer chez elle sans autorisation !

Agenouillée au milieu de son salon, Elsa était occupée à trier les affaires dont Rio aurait besoin à Tucson. Le jeune homme venait de lui téléphoner de chez les Sandoval pour lui dire qu'il accompagnait Nada chez le dentiste et qu'il serait de retour dans moins d'une heure. Cher Rio... Il lui avait fait un beau cadeau pour Noël. Le carton à dessin qu'il lui avait fait promettre de ne pas ouvrir contenait un fusain la représentant assise à côté de Mandy sur la barrière du corral, avec Rebus couché à leurs pieds. Rio avait vraiment un sens inné du mouvement... Ce cadeau l'avait bien plus comblée que la généreuse prime de fin d'année offerte par Jeff Wagner à tout son personnel.

Toutefois, elle ne pouvait nier que cette prime lui serait très utile ; elle lui permettrait de payer une partie des études de son protégé.

Elle terminait de classer ses papiers quand on frappa à la porte. Rio était ponctuel ! Ils pourraient partir tout de suite pour Tucson où ils devaient visiter le studio qu'elle lui avait réservé. S'il lui plaisait, il s'y installerait dans le courant de la semaine.

— Entre, c'est ouvert ! lui cria-t-elle.

Son sourire s'évanouit lorsqu'elle aperçut, non pas Rio, mais Jeff, debout sur le seuil de la porte.

— Bonne et heureuse année, Elsa, dit-il en jetant un regard surpris à la pièce en désordre. Vous déménagez ?

— Rio part vivre à Tucson. Vous l'aviez oublié ? Il commence son année préparatoire à l'école vétérinaire.

— Je ne veux pas que ma présence vous empêche de travailler, dit-il en s'asseyant sur le divan.

— Oh, vous ne me dérangez pas du tout. Je... je ne vous avais pas encore remercié pour le chèque...

— De rien. Le couvre-lit brodé que vous avez offert à Amanda est magnifique. Comment avez-vous appris à faire de telles choses ?

— Grâce à une amie du collège. Comme nous étions pensionnaires, nous avions tous le loisir de coudre, le soir...

Jeff consulta sa montre et se leva.

— Combien de temps comptez-vous séjourner à Tucson ?

— Trois, quatre jours au plus. Le temps d'aider Rio à s'installer. Pourquoi ?

— Simple curiosité...

Il fit un pas en avant et la prit dans ses bras.

— Je vous en prie, Jeff...

— Je veux simplement vous souhaiter une bonne année.

Elle posa ses deux mains à plat sur sa poitrine et le repoussa de toutes ses forces.

— Jeff, Rio va arriver d'une minute à l'autre...

Il prit alors le visage de la jeune femme entre ses mains et l'embrassa avec une douceur infinie. Lorsqu'il releva la tête, les yeux turquoise étaient embués de larmes.

— Vous ne pouvez pas comprendre, murmura-t-elle.

— Elsa, je...

Il passa nerveusement la main dans ses cheveux.

— Je dois conduire Mandy à l'école de Tucson le trois janvier. Pourrai-je vous rendre visite ?

Des mots amers de reproche vinrent à l'esprit d'Elsa. Il bradait le bonheur de sa fille pour satisfaire l'égoïsme d'une femme qui n'aimait pas les enfants... Mais le courage lui manqua, pour les lui dire.

— Je... Je serai très occupée à Tucson. Et dès que Rio sera installé, je reviendrai ici.

— Je vois... Bon, eh bien je vais vous laisser.

Après son départ, Elsa porta la main à ses lèvres encore frémissantes, ravala un sanglot et se remit à son travail. Bientôt Rio arriva, et ils terminèrent tous deux de remplir les cartons. Le jeune homme était si heureux à l'idée d'entrer à l'université — d'autant plus que Nada lui avait promis de venir le voir chaque semaine — qu'Elsa n'osa pas lui avouer à quel point il allait lui manquer...

Arrivés à Tucson, ils se rendirent au bureau d'inscription de l'école vétérinaire pour vérifier si le nom de Rio figurait bien sur la liste de tous les cours, qui débutaient le lundi suivant.

Le petit studio qu'elle lui avait loué l'enthousiasma, et en deux jours, ils effectuèrent deux allers et retours entre Tucson et le ranch pour transporter toutes ses affaires.

— Tu sais, Rio, j'aurais bien aimé rester quelques jours avec toi, mais j'ai du travail qui m'attend, lui dit-elle au moment de le quitter. Et puis je n'aime pas les adieux qui s'éternisent... Si tu as besoin de quoi que ce soit, téléphone-moi au ranch.

Rio, d'ordinaire peu démonstratif, la serra très fort contre lui.

— Merci, Elsa. Tu verras, je réussirai. Tu pourras être fière de moi.

Elle vit ses yeux en amande s'assombrir, tandis qu'il murmurait :

— Tu vas me manquer.

La jeune femme partit précipitamment pour lui dissimuler ses larmes. En roulant à vive allure dans sa camionnette, elle regagnerait peut-être le ranch avant la nuit. Mais au moment où elle s'engageait sur l'autoroute, elle se rendit compte qu'elle était trop fatiguée pour conduire trois heures d'affilée. Elle gara son véhicule devant le premier motel qu'elle rencontra, loua une chambre pour la nuit et se rendit au bar. La tension de tous ces derniers jours tomba d'un seul coup et elle se sentit soudain très, très lasse. Elle commanda un gin-fizz, puis un deuxième.

— Puis-je m'asseoir auprès de vous ? s'enquit une voix familière derrière elle.

Stupéfaite, elle se retourna brusquement, et vit Jeff prendre place sur le tabouret voisin.

— Que buvez-vous ?

— Un gin-fizz.

— Vous allez vous rendre malade.

— Cela m'est bien égal.

La tête lui tournait légèrement et c'était une sensation agréable...

— Vous comptez passer la nuit ici ? demanda-t-elle.

— Oui, j'ai réservé une chambre.

— Alors je m'en vais.

Il lui saisit le poignet, l'empêchant de bouger.

— Non, vous ne partirez pas. Vous n'êtes pas en état de conduire.

Il fit signe au barman et lui commanda un citron pressé.

— Tenez, buvez. Avez-vous mangé ? ajouta-t-il tandis qu'elle avalait en frissonnant le liquide acide.

— Oui, à midi, avec Rio.

— Il est six heures et demie. Je vais faire porter quelques sandwiches dans ma chambre.

— Non, Jeff, murmura-t-elle, affolée à l'idée de rester seule avec lui.

Mais déjà il avait donné le numéro de sa chambre au barman, qui l'assura qu'un léger dîner leur serait bientôt apporté. Trop lasse pour réagir, elle suivit Jeff sans protester. Une fois dans la chambre, elle s'immobilisa près de la porte.

— Comment m'avez-vous retrouvée ?

— J'ai quitté Amanda vers trois heures et je suis passé chez Rio, espérant vous trouver. Nous avons bavardé un peu et il m'a dit que vous étiez repartie pour le ranch. En passant devant le motel, j'ai vu votre camionnette sur le parking.

Elsa alla s'asseoir sur l'un des lits jumeaux, ôta ses bottes en soupirant et s'allongea sur le lit, les mains croisées derrière la tête.

— Votre dîner, messieurs-dames, fit une voix masculine derrière la porte.

Jeff alla ouvrir, prit le plateau des bras du garçon, et vint s'asseoir à côté d'elle.

— Tenez, mangez un peu.

— Je n'ai pas faim.

— Elsa, ne faites pas l'enfant... Vous n'avez pas l'habitude de boire de l'alcool, manger un peu vous fera du bien. Attendez, je vais arranger vos oreillers.

Jeff avait raison. Après avoir avalé quelques bouchées, elle se sentit beaucoup mieux, mais très vite une sorte d'engourdissement l'envahit.

— Excusez-moi, je crois que je vais m'endormir...

Elle se tourna sur le côté et sombra presque aussitôt dans un profond sommeil. Jeff alla prendre une couverture supplémentaire dans l'armoire et l'étendit sur la jeune femme assoupie. Il resta de longues minutes à la contempler puis se déshabilla et se mit au lit.

Au milieu de la nuit, Elsa s'éveilla en sursaut, consciente de se trouver dans une chambre inconnue. En tournant la tête elle aperçut dans la pénombre la silhouette de Jeff allongé dans le lit voisin.

Elle se leva sans bruit et se rendit dans la salle de bains pour boire un verre d'eau. Sur la tablette, elle vit sa brosse à dents et son tube de dentifrice. Jeff avait pensé à tout... Elle se déshabilla, fit un brin de toilette, éteignit la lumière, et retourna vers son lit.

— Venez ici, murmura Jeff d'une voix douce.

Elsa se figea sur place, retenant sa respiration.

— Venez ici, répéta-t-il en se redressant sur un coude.

Comme si soudain son corps ne lui obéissait plus, elle se dirigea vers lui. Jeff tendit la main vers elle, et l'attira doucement contre lui. De ses lèvres, il effleura ses cheveux, sa nuque.

— Vous sentez si bon... Vous souvenez-vous de Newark ?

Elle hocha la tête sans répondre.

— Cinq mois déjà... Je n'ai jamais oublié.

Ils étaient donc destinés à s'aimer dans des chambres d'hôtel... Ce fut sa dernière pensée avant que le désir ne l'emporte loin de tout, vers un univers où seuls existaient leurs deux corps enlacés...

Elsa devina qu'elle était seule dans la chambre, bien avant d'ouvrir les yeux. Elle garda les paupières closes, se remémorant les heures merveilleuses qu'ils venaient de passer ensemble, puis se leva à regret et se rendit dans la salle de bains. Là, elle trouva un petit papier posé contre le miroir et y lut ces quatre mots : « Elsa, conduisez prudemment. Jeff. » Rien de plus.

Terriblement déçue, elle se mordit la lèvre pour ne pas pleurer, froissa le papier en boule et le jeta dans la corbeille. Mais qu'avait-elle attendu au juste ? Un serment d'amour ? Une demi-heure plus tard, elle quittait la chambre, après avoir embrassé la pièce d'un dernier regard.

Elle roula deux heures sur l'autoroute, puis s'engagea sur une route plus paisible qui serpentait à flanc de montagne. Au bout d'une dizaine de kilomètres, elle s'arrêta pour se dégourdir les jambes. Elle exécuta quelques mouvements de gymnastique, et s'assit sur un rocher pour contempler le désert qui s'étendait au-dessous d'elle, se représentant les caravanes de pionniers qui, un siècle plus tôt, étaient venus ici chercher l'Eldorado. Elle regrettait l'absence de Rebus, son fidèle compagnon qui semblait partager son amour du désert.

Tout en suivant des yeux deux petits nuages effilochés qui dérivaient dans le ciel bleu, elle se mit à réfléchir. Quand Jeff Wagner serait fiancé, il n'y aurait plus de place pour elle au ranch. Elle pouvait dès maintenant se mettre en quête d'une nouvelle place. Oui, mais où aller ? Partout où elle avait cru être heureuse, elle n'avait connu que souffrance et déception. Ses parents adoptifs étaient morts, Tim l'avait quittée et Jeff Wagner ne l'aimerait jamais. Bientôt Rio volerait de ses propres ailes... Peut-être partirait-elle pour l'étranger, où elle pourrait refaire sa vie. L'Australie, peut-être ?

Le cœur lourd, elle remonta en voiture et prit la

direction du ranch en passant par le campement de Carue, qui l'invita à partager son déjeuner. De retour chez elle, elle posa son sac de voyage dans le salon, puis fuyant toute compagnie, partit se promener avec Rebus, fou de joie d'avoir retrouvé sa maîtresse.

Le lendemain matin, poussée par une folle envie de bon café et de petits pains chauds, elle alla retrouver Lily dans sa cuisine.

— Vraiment, Miss Elsa, nota cette dernière, sans vouloir vous fâcher, je vous trouve bien trop maigre.

— Pour une fois, Lily, je suivrai vos conseils. J'ai une faim de loup !

Une tasse de café à la main, elle s'approcha de la baie vitrée.

— J'ai l'impression qu'il va pleuvoir, remarqua-t-elle en examinant les nuages noirs qui s'amoncelaient à l'horizon.

— Où peut-être même neiger, Miss Elsa.

— Ah non ! J'ai bien trop de travail !

Et bien trop de vague à l'âme pour rester enfermée seule chez moi, ajouta-t-elle intérieurement.

Après avoir pris un copieux petit déjeuner, elle sortit pour aller dire bonjour à Charlie, tout seul dans son pré.

— Mandy te manque à toi aussi ? dit-elle en caressant le poil rêche du petit âne.

Un coup de klaxon strident la fit retourner. Elle aperçut Steve et Jamie, tout endimanchés, qui lui faisaient signe de la main.

— Elsa ! Nous partons à un mariage, à Tombstone, expliqua Jamie. Mais où donc étais-tu passée ? On ne te voit plus. Sans toi, Rio et Mandy, le ranch est un désert ! Quant à Jeff, il est invisible... Ah, j'oubliais : c'est bientôt la St Valentin, tu sais, la fête des amoureux. Trouve-toi une jolie robe pour le bal...

Quelques jours avant le fameux bal, Elsa fouilla à nouveau dans sa grande malle à la recherche d'une tenue originale. Cette fois, lorsque ses doigts rencontrèrent la photographie la représentant aux côtés de Tim, elle n'hésita pas et la déchira lentement en mille morceaux. Elle ne trouva pas de robe mais une grande pièce de cotonnade rouge vif qu'elle avait achetée au marché d'El Paso. Avec un peu d'inspiration, elle pourrait confectionner une jolie jupe et un boléro. Elle enveloppa le tissu dans un papier de soie et le laissa sur la table de la cuisine, avec sa trousse à couture, pour ne pas oublier de l'emporter le lendemain matin. Elle devait passer quelques jours au camp 19 et là-bas, elle aurait tout loisir de coudre le soir.

Le bal de la St Valentin approchait. Le vendredi soir, Elsa terminait de coudre les derniers boutons du boléro. Hélas elle avait attrapé froid à rester dehors dans le vent glacé et elle se mit au lit avec 38° de fièvre. En se réveillant le lendemain, elle souffrait d'un affreux mal de tête.

Elle jugea plus sage de rester couchée et passa sa journée au lit à boire de la tisane en regardant la télévision. Vers six heures, le téléphone sonna.

— Allô, c'est Jamie. Es-tu prête ?

— Ecoute, j'ai la grippe. J'ai bien peur de ne pas pouvoir venir... De plus, il pleut à torrents !

— Ah, non ! tu ne vas pas nous faire faux bond ! Tu prends deux cachets d'aspirine, tu te couvres chaudement et tu attends que l'on vienne te chercher, d'accord ? J'arrive dans une demi-heure.

Ce ne fut pas la jeep de Steve qui se gara devant sa porte, mais la Mercédès blanche de Jeff.

Elsa n'eut pas le temps de battre en retraite. Déjà Jeff se penchait sur le côté pour lui ouvrir la portière.

— La Mercédès tient mieux la route sous la pluie, dit-il en guise d'explication.

Durant le trajet, ils restèrent silencieux, mais elle le surprit plusieurs fois à la regarder. Lorsqu'elle entra dans la salle de bal, Elsa remarqua que plusieurs hommes lui jetaient des coups d'œil admiratifs. Malgré sa grippe, elle se sentait très en beauté. Elle avait appliqué une poudre rosée sur son visage et un peu de mascara noir sur ses longs cils pour aviver l'éclat de son regard. Le décolleté rond du boléro ajusté révélait la naissance de sa poitrine, et une large ceinture soulignait sa taille fine.

Durant plus d'une heure, elle dansa avec tous les cow-boys de sa connaissance, souriant à leurs compliments et à leurs bons mots. Au bout d'un moment, elle sentit la fièvre revenir et joua des coudes parmi les danseurs pour aller chercher un cachet d'aspirine dans son sac. Comme elle marchait tête baissée, elle heurta involontairement un homme qui lui tournait le dos.

— Elsa... fit Jeff d'un air étonné. Où allez-vous si vite ?

— Je... j'ai un peu mal à la tête. Je vais chercher un cachet d'aspirine.

— Allez-vous nous chanter quelque chose ?

— Non, c'est impossible. J'ai beaucoup trop mal à la gorge.

— Attendez-moi un instant.

Il revint peu après avec un grand verre d'eau fraîche.

— Tenez, voilà pour prendre votre aspirine. Elsa, il y a longtemps que nous n'avons pas bavardé...

Comme la jeune femme ne disait rien, il ajouta :

— Excusez mon indiscrétion, mais... vous n'avez pas d'ennuis ?

A la façon dont il prononça le mot « ennui » elle comprit tout de suite le sous-entendu. Il pensait qu'elle était peut-être enceinte... Une force diabolique la poussa à répondre d'un ton ironique :

— Et quand bien même ? Vous vous en moqueriez, n'est-ce pas ?

Le sourire de Jeff s'effaça aussitôt, pour faire place à une expression de surprise, puis de colère.

— Je veux la vérité, Elsa, dit-il d'une voix dure.

Par bonheur, Steve s'approcha d'eux, ce qui permit à la jeune femme d'éluder la question.

— Elsa, as-tu repéré le bétail égaré ?

Elle secoua la tête en soupirant.

— Hélas, non. Elles ne sont pas dans l'aire nord-ouest, comme je l'espérais. Jasper et Scully ont exploré les canyons, Ed et Cecil ont mal aux yeux à force de regarder dans leurs jumelles...

— Combien de têtes manquantes ? intervint Jeff, sèchement.

— Une centaine environ, je ne peux pas donner un chiffre exact.

— Ce sont des vaches que vous aviez marquées à l'aide d'agrafes métalliques ?

— En effet.

— Personnellement, je ne suis pas convaincu de l'efficacité absolue de cette méthode.

— Mais pourquoi ? Il s'agit de la méthode la plus moderne, la plus rapide et la moins douloureuse pour les bêtes.

— Rien n'empêcherait des gens mal intentionnés d'arracher ces agrafes et de les remplacer par de nouvelles... Les voleurs de bétail sévissent encore de nos jours.

— Jeff, où veux-tu en venir ? s'exclama Steve. A qui a-t-on volé du bétail ?

— Eileen m'a signalé qu'il lui manquait une cinquantaine de « long-horns ».

Elsa se raidit, intriguée.

— Comment ces vaches sont-elles marquées ?

— Exactement comme les nôtres. Ron, son contremaître, a été séduit par vos nouvelles méthodes et a troqué le fer rouge contre les agrafes métalliques.

Elsa regarda tour à tour les deux hommes. Elle se souvenait en effet d'avoir bavardé avec Ron Steward, qui avait paru en effet très intéressé par ses nouvelles méthodes de marquage, mais elle ne savait pas qu'il les avait mises en pratique.

— Je demanderai à Jasper d'aller survoler les

montagnes, dès lundi. Il est possible que les vaches se soient plus éloignées que nous le supposons...

Troublée par la conversation qu'elle venait d'avoir avec Jeff et Steve, Elsa eut du mal à trouver le sommeil, ce soir-là. Ainsi donc, par une curieuse coïncidence, les vaches des Mc Kane avaient également disparu... Elle repensa aussi à l'expression de Jeff lorsqu'elle lui avait laissé supposer qu'elle était peut-être enceinte. Que lui aurait-elle répondu si Steve n'était pas miraculeusement intervenu ?

Chapitre 10

Une semaine plus tard, alors qu'elle était attablée dans un café en attendant Jamie, avec qui elle avait rendez-vous pour aller au cinéma, Elsa vit entrer Jim Summers, son cavalier malchanceux de la soirée de Noël. Elle lui adressa un petit signe de la main.

— Miss Whitelake ! Quelle bonne surprise ! dit-il en s'approchant de sa table.

— Comment allez-vous, monsieur Summers ? J'espère que vous êtes bien remis de votre grippe. Asseyez-vous. Vous prendrez bien quelque chose ?

Jim Summers ôta son chapeau et prit place en face d'elle.

— Toujours heureuse de travailler chez Wagner ? s'enquit-il en souriant.

— Mais oui.

— Je maintiens toujours ma proposition, Miss Whitelake. Si un jour l'envie vous prend de changer d'air, sachez que vous serez la bienvenue dans mon ranch.

S'il savait à quel point elle était tentée d'accepter son offre... Mais elle ne pouvait pas quitter le ranch

Wagner avant d'avoir retrouvé le bétail égaré. Alors seulement, elle se préoccuperait de l'avenir. Elle savait bien que même à l'autre bout du monde, elle n'oublierait pas Jeff Wagner. Alors pourquoi s'éloigner et ne pas travailler pour Jim ?

La séance de cinéma s'acheva fort tard, et il était presque minuit quand les deux amies rentrèrent au ranch.

— Tiens, Jeff est chez lui, remarqua Jamie. Les lumières sont encore allumées.

Elsa ne répondit pas. Elle venait d'apercevoir la Porsche verte d'Eileen Mc Kane garée à côté de la Mercedes.

— On dirait que notre chère voisine a décidé de passer la nuit ici, ironisa Jamie.

A cet instant, la porte du ranch s'entrouvrit et elles virent deux silhouettes se profiler dans le rectangle de lumière. Elles paraissaient très agitées. La porte claqua avec violence et quelques secondes plus tard la Porsche démarrait en rugissant.

Dès qu'elle fut rentrée chez elle, Elsa alla directement se coucher. Mais incapable de trouver le sommeil, elle demeura immobile dans son lit, les yeux grands ouverts. Cette fois, sa décision était prise : dès que le bétail serait retrouvé, elle téléphonerait à Jim Summers pour lui annoncer qu'elle acceptait son offre.

Le lendemain matin, alors qu'elle prenait le café sur sa terrasse en regardant le soleil se lever derrière les montagnes, elle vit Jeff arriver au volant de sa jeep. Réprimant les battements tumultueux de son cœur, elle s'avança à sa rencontre.

— Bonjour Jeff, je vous offre un café ?

— Volontiers.

Elle fit réchauffer un peu de café, sortit une tasse et le sucrier du placard, tout en se demandant quel était le motif de cette visite matinale. Jeff était étrangement silencieux, et il y avait dans son regard une expression difficile à interpréter. Il but son café à petites gorgées. Finalement, il prit une profonde inspiration et leva les yeux vers elle.

— Elsa, il est temps que nous ayons une véritable discussion.

Le cœur de la jeune femme se mit à battre à un rythme insensé. Ils s'affrontèrent du regard.

— J'irai droit au but : voulez-vous m'épouser ?

De surprise, la jeune femme faillit lâcher sa tasse dont la moitié du contenu se répandit sur la table. Dans le silence qui suivit, on n'entendait plus que le tic-tac régulier de l'horloge. Elle voulut parler, mais aucun son ne s'échappa de ses lèvres.

Jeff se pencha en avant et lui prit la main.

— Elsa, je comprends que ma demande vous prenne au dépourvu et que vous ayez besoin de temps pour réfléchir, mais au moins dites quelque chose...

Elle secoua la tête d'un air désolé.

— Je... Et Eileen ? parvint-elle à articuler.

— Elle est au courant. Je le lui ai appris hier soir.

Elsa se souvint du rugissement du moteur de la Porsche dans la nuit et imagina la réaction d'Eileen lorsque Jeff lui avait annoncé ces nouveaux projets...

— Vous savez, reprit-il d'une voix douce, je connais Eileen depuis l'enfance. Après le décès de Myra, tout le monde pensait que je me remarierais avec elle. J'étais si désemparé que plus rien n'avait d'importance, alors je me suis dit « pourquoi pas » ? Et puis il y a un an, une jeune femme aux yeux turquoise a surgi dans ma vie, sans crier gare...

Il sourit en la voyant rougir, puis se leva, fit le tour de la table et la prit dans ses bras.

— J'avoue que votre attitude à l'égard d'Amanda m'a beaucoup influencé. J'ai parfois l'impression que vous la considérez comme votre propre enfant.

Bouleversée, Elsa appuya un instant sa tête contre sa poitrine, puis elle se haussa sur la pointe des pieds et lui offrit ses lèvres.

— Elsa ? Est-ce que cela veut dire oui ? murmura Jeff d'une voix vibrante.

Elle hocha la tête, trop émue pour répondre.

— Tout de suite ?

— Tout de suite, Jeff.

— Ce sera une cérémonie très intime. En tant que représentant de la loi, Jasper célébrera le mariage, Steve et Jamie nous serviront de témoins...

— Et Rio et Mandy ?

— Hélas, ils ne sont pas là. Mais plus tard, nous organiserons une grande fête, où tout le monde sera invité. Je serai ravi de voir les Monroe... Tiens à propos, David m'a appelé hier soir.

Elsa se redressa aussitôt, inquiète.

— Quelque chose ne va pas ?

— Rassurez-vous. Ils veulent seulement examiner la cicatrisation des greffes. Mandy voudra certainement que vous l'accompagniez. Nous pourrions nous marier avant de partir pour Newark, qu'en pensez-vous ?

Dans l'état de totale confusion où elle se trouvait depuis quelques minutes, Elsa ne savait pas si elle devait rire ou pleurer. Jeff l'avait demandée en mariage ! Le plus beau de ses rêves enfin réalisé...

— Elsa, si vous n'avez pas trop de travail cette semaine, j'aimerais que vous restiez auprès de moi.

Elle le dévisagea, un peu étonnée.

— Mais cette semaine, je dois vacciner les troupeaux, et puis je veux absolument retrouver les vaches égarées...

Jeff posa ses deux mains sur les épaules de la jeune femme et la regarda droit dans les yeux.

— Oubliez cela, Elsa. Je ne veux pas que vous retourniez aux campements pendant quelque temps.

— Mais... pourquoi ?

— Promettez-moi de ne plus y aller.

— Vraiment, je ne comprends pas. Il n'y a aucun danger ! Je connais bien la région et...

— Ecoutez, si nous devons nous marier samedi, vous aurez sans doute quelques achats à faire à Tucson. Une robe de mariée, par exemple. A moins que vous n'ayez l'intention de m'épouser en jean...

Brusquement, Elsa pâlit. Jeff ignorait pourquoi elle et Tim avaient divorcé. L'épouser sans le prévenir serait une véritable supercherie.

— Sa... samedi ? bredouilla-t-elle, c'est peut-être trop tôt...

— J'ai promis à David d'aller à Neward lundi. Je ne peux pas décommander ce rendez-vous !

Rassemblant tout son courage, elle déclara d'une voix altérée :

— Jeff, je dois vous avouer...

A cet instant, on frappa à la porte.

— Excusez-moi.

Elsa alla ouvrir : Steve et Jasper se tenaient sur le seuil ; le chapeau à la main, visiblement embarrassés.

— Vous êtes bien matinaux, pour un dimanche ! dit-elle en souriant. Quelle mouche vous a piqués ?

Les deux hommes semblaient de plus en plus mal à l'aise.

— Jeff... Jeff est-il là ? demanda enfin Steve.

— Oui, en effet, avoua-t-elle en rosissant.

Curieusement, ce dernier ne parut pas surpris de voir ses deux amis.

— Je vais préparer du café, dit Elsa, troublée par la présence incongrue de ces trois hommes chez elle, un dimanche à six heures et demie du matin !

Elle brancha la cafetière électrique et prit dans le placard deux tasses supplémentaires qu'elle rinça à l'eau claire. Par la fenêtre, elle contempla un instant le disque orangé du soleil dans le ciel. Les beaux jours arrivaient...

Elle posa la cafetière et les tasses sur un plateau et retourna au salon. Soudain elle s'immobilisa en entendant la voix de Steve.

— Jeff, je te répète que quelqu'un connaît les endroits que nous avons inspectés et sait que nous n'y retournons pas avant un certain temps.

— Qu'en penses-tu, Jasper ?

— Je n'aime pas la tournure que prennent les événements... mais après tout Eileen a peut-être raison...

Elsa entra dans le salon et déposa le plateau sur la table basse.

— Avez-vous récupéré les vaches ?

Il y eut un court silence, puis Steve prit la parole.

— Oui, une partie, dans le canyon au-dessus du camp 20, à la limite de la nouvelle propriété Mc Kane.

— Jasper, pourquoi disiez-vous qu'Eileen avait peut-être raison ?

Ce dernier lança un coup d'œil à Jeff, avant de répondre d'un ton gêné :

— Eileen pense que vous êtes responsable du vol du bétail. Ses bêtes ont été retrouvées, mélangées aux nôtres.

Cette fois un silence mortel s'installa dans la pièce. Lorsque Elsa recouvra sa voix, celle-ci était méconnaissable.

— Et vous la croyez ?

— N... non, bien sûr, réagit Steve. Mais il y a un détail troublant...

— Un détail ?

— Quelqu'un a retiré les agrafes des oreilles des vaches. Nous les avons découvertes dissimulées dans un trou, derrière le cabanon du camp 20.

Elsa se tourna vers Jeff et l'affronta du regard.

— Vous saviez que je serais la première suspecte. En clair, vous m'accusez d'avoir volé votre bétail et celui d'Eileen, de l'avoir parqué dans un endroit tranquille, dans l'intention de le revendre sans être inquiétée...

Il secoua la tête.

— Non, Elsa, je n'ai jamais dit cela.

Soudain, une idée horrible germa dans l'esprit de la jeune femme.

— Jasper, vous qui êtes avocat, répondez-moi : un époux ne peut pas témoigner contre sa femme, n'est-ce pas ?

L'avocat hocha la tête, en se mordillant la lèvre.

— Alors, c'est pour cela que vous m'avez demandé de vous épouser, murmura-t-elle d'une voix brisée, en levant les yeux vers Jeff.

— Non, Elsa. Mais si Eileen porte plainte contre vous à l'Association des Eleveurs, il vous faudra vous défendre et prouver votre innocence.

— Mais vous avez cru que j'étais coupable...

Les yeux de la jeune femme s'emplirent de larmes. Et elle qui s'imaginait déjà qu'il l'aimait...

— Je n'ai pas volé vos vaches, reprit-elle d'une voix sourde. Ni aidé personne à les voler. D'ailleurs, sachez pour votre gouverne que vos bêtes peuvent être aisément identifiées.

— Comment, puisqu'elles ont perdu leur numéro d'identification ?

— Avec une lampe à infra-rouge, vous pourrez détecter une teinture de couleur jaune que j'ai vaporisée sur leurs sabots. C'est également un antiseptique, qui éloigne les insectes.

Elle lui tourna le dos, alla se poster devant la fenêtre et poursuivit :

— Lorsque j'ai parlé à Ron Steward, je n'ai pas

mentionné cette teinture, car je supposais qu'il connaissait ce produit, bien qu'il soit assez nouveau sur le marché. Vous devriez peut-être faire examiner les sabots des vaches des Mc Kane.

— Accuseriez-vous Eileen de duplicité ?

— Pourquoi pas ? s'exclama Elsa en faisant volte-face. Elle m'accuse bien, elle ! Son nom et sa richesse lui conféreraient-ils une totale immunité ?

La douleur et la colère bouillonnaient en elle.

— Maintenant, vous voudrez bien m'excuser, messieurs, mais j'ai du travail.

Discrètement, Jeff fit signe à ses compagnons de s'en aller. Dès qu'ils se furent éloignés, il s'avança vers la jeune femme, les bras tendus, mais celle-ci se déroba.

— Je... je quitterai le ranch dès que j'aurai terminé mon travail. Je vous laisserai une adresse où me contacter, au cas où Miss Mc Kane déciderait de me poursuivre en justice.

— Non, Elsa, vous ne partirez pas. Personne ne vous accuse. Tout le bétail sera retrouvé, j'en suis sûr. Il s'agit d'une tragique méprise.

La jeune femme se dirigea vers sa chambre et s'arrêta, la main sur la poignée de la porte.

— Je partirai dans le courant de la semaine. Vous trouverez une jolie histoire à raconter à Mandy pour lui expliquer les raisons de mon départ.

Elle referma la porte derrière elle et tourna la clé dans la serrure. La voix de Jeff lui parvint, juste de l'autre côté de la cloison.

— Tout ceci est ridicule. Encore une fois, je ne

vous accuse pas. Nous parviendrons à tirer cette affaire au clair.

Comme elle ne répondait pas, il ajouta, d'un ton très doux :

— Elsa chérie... ma demande en mariage tient toujours.

Il y avait tant de tendresse dans sa voix qu'elle se mordit la lèvre pour ne pas pleurer.

— Elsa, je reviendrai bientôt. Surtout, ne prenez aucune décision avant de m'avoir revu. Promis ?

Quelques secondes plus tard, elle entendit la porte d'entrée se refermer. Au moins, je n'ai pas eu besoin de lui dire pourquoi Tim avait voulu divorcer, songea-t-elle avec cynisme.

Elle décida de déménager le jour même, sans prévenir personne. Jamie avait sans doute déjà appris les rebondissements de l'affaire par Steve et ne tarderait pas à informer Lily et Hammett...

Pour la centième fois, elle se demanda comment le bétail avait pu sortir des limites du ranch, en dépit des recherches. Tout les cow-boys avaient été lancés à tour de rôle sur les traces des vaches, pour revenir bredouilles. Et miraculeusement, une partie du bétail était réapparue... Ron Steward, le contremaître des Mc Kane, connaissait bien les cow-boys du ranch Wagner et leur rendait souvent visite. Avec quelques complices, il aurait pu voler les vaches pour les revendre, ou pour grossir le cheptel des Mc Kane... Restait un détail troublant : une cinquantaine de vaches des Mc Kane avait également disparue...

Après avoir chargé ses derniers cartons de livres dans la camionnette, elle s'arrêta pour contempler la petite maison où elle avait vécu près d'un an. Sans s'en rendre compte, elle s'y était terriblement attachée, comme elle s'était attachée à tous les habitants du ranch : Lily, gaie et maternelle, le brave Hammett, Jamie, si fraîche et souriante, l'énigmatique Jasper, Steve au cœur d'or...

Il lui restait encore une dernière chose à faire avant de partir. Elle prit l'annuaire du téléphone et le feuilleta rapidement. Ab... Ap... Apache Junction. Elle griffonna un numéro sur un papier et le composa d'une main ferme. Une voix de femme répondit aimablement.

— Bonjour, ici le ranch Summers.

— Allô, pourrais-je parler à M. Summers, s'il vous plaît ? C'est urgent.

— Un instant, ne quittez pas.

— Oui ? fit la voix rauque de Jim qui se radoucit aussitôt dès qu'il eut identifié son interlocutrice. Elsa ! Mes vœux seraient-ils exaucés ?

— Précisément, Jim. Je vous appelle pour vous dire que j'accepte votre offre.

— Quelle chance ! Mon assistant vétérinaire s'est fracturé la jambe. Depuis deux jours, je ne sais plus où donner de la tête ! J'ai l'intention de vendre quelques bêtes et j'ai besoin d'un contrôle vétérinaire sérieux. Quand serez-vous disponible ?

— Attendez, Jim, ne vous emballez pas. Je dois d'abord vous expliquer les raisons de mon départ du ranch Wagner. Ensuite nous verrons si vous acceptez toujours de m'engager...

— Vous êtes bien mystérieuse ! Bon, je vous écoute.

Elle lui narra brièvement les événements. Jim l'écouta sans l'interrompre, puis s'exclama :

— Que diable s'est-il passé dans la tête de Jeff Wagner ? D'ordinaire c'est un homme de bon sens. A mon avis, Eileen Mc Kane n'est pas étrangère à cette histoire...

— Que voulez-vous dire ?

— Hmm... tout le monde sait qu'elle est très jalouse de vous. Enfin, parlons d'autre chose. Quand verra-t-on votre joli minois à Apache Junction ?

— Mais Jim, comprenez-vous donc de quoi l'on m'accuse ? De vol, Jim ! De vol avec préméditation !

— Ecoutez, Elsa, si Jeff est fou ou stupide, c'est son problème. A sa place, je ne vous aurais jamais laissée partir ! Mais revenons aux choses sérieuses. Quand arrivez-vous ?

— Disons... demain après-midi ? Je veux d'abord m'arrêter à Tucson pour voir Rio et lui expliquer la situation.

Jim lui expliqua l'itinéraire à suivre et peu après Elsa quittait le ranch au volant de sa camionnette, avec Rebus bien sûr qui avait observé les préparatifs du départ avec un intérêt inquiet.

Alors qu'elle voyait s'éloigner le ranch dans le rétroviseur, son chagrin se mua peu à peu en colère. Comment des hommes qu'elle croyait ses amis avaient-ils été amenés à la suspecter ? Finalement, le moins blâmable était encore Jeff. Eileen Mc Kane était une amie de longue date, connue et respectée dans la région, tandis qu'elle, Elsa Whitelake, n'était qu'une étrangère, la fille adoptive de deux vieux Indiens sans ressources...

Elle laissa bientôt sur sa gauche le camp 19, où elle avait passé tant de nuits solitaires. Son regard suivit la ligne des montagnes, qui se dressaient telles des sentinelles fantômatiques dans le crépuscule violacé. De l'autre côté des crêtes, s'étendait l'ancienne propriété O'Toole où une partie du bétail avait été retrouvée. Mue par une impulsion soudaine, Elsa donna un violent coup de frein, fit demi-tour et repartit à toute allure vers l'embranchement du camp n° 20. Rio n'attendait pas sa venue, et elle ne voulait pas le surprendre à une heure trop tardive. Et puis, elle avait envie de passer une dernière nuit seule dans la montagne...

Bientôt, le cabanon lui apparut au bout d'un chemin de terre. Elsa coupa le contact et éteignit ses phares. Rebus sauta dehors mais aussitôt s'immobilisa, les babines retroussées. Inquiète, la jeune femme fouilla dans son vide-poche et y trouva une lampe électrique, dont elle braqua le faisceau sur la porte du cabanon. Y avait-il quelqu'un à l'intérieur ?

— Tu as trop d'imagination, se dit-elle à haute voix, pour dominer sa peur.

Elle souleva le loquet et poussa la porte, qui tourna silencieusement sur ses gonds. Rebus entra le premier et elle le suivit, peu rassurée. Retenant sa respiration, elle chercha à tâtons la boîte d'allumettes qu'elle se souvenait avoir laissée sur la table ; dès qu'elle l'eut trouvée, elle craqua une allumette et alluma la lampe à pétrole qu'elle promena tout autour de la pièce. Rien d'anormal.

A présent, il faisait nuit noire et la température avait fraîchi. Elle sortit chercher du petit bois et des bûchettes, alluma le poêle et fit chauffer une casserole d'eau. Dès que celle-ci se mit à bouillir, elle y plongea deux sachets de thé. Pendant qu'il infusait, elle sortit deux couvertures du placard et les secoua pour les débarrasser d'éventuels hôtes indésirables. Deux minuscules écureuils du désert en tombèrent et disparurent en piaillant.

— Désolés de vous avoir dérangés, dit-elle en étalant les couvertures entre deux chaises devant le poêle.

Dès qu'elle eut terminé sa tasse de thé, elle sentit une soudaine lassitude l'envahir, une lassitude qui n'avait rien à voir avec la fatigue physique. Dans la même journée, et en l'espace de quelques minutes, elle était passée de la joie la plus absolue au plus total désespoir...

Elle s'installait une couche de fortune sur la banquette qui servait de lit, quand elle perçut un bruit sourd dans le lointain. Rebus tourna la tête de côté, les oreilles pointées. Le vent avait tourné et venait maintenant du nord, par bourrasques. Le bruit ressemblait à un roulement de tonnerre; pourtant la nuit était claire, sans nuages...

— Bizarre, murmura-t-elle en activant le poêle, qui tirait mal.

Il faisait si froid qu'elle se glissa sous les couvertures sans se déshabiller. Comme chaque soir au moment de se coucher, elle se remémora la chaleur des étreintes de Jeff, mais elle s'efforça de chasser ces pensées importunes.

Le lendemain matin, elle s'éveilla avant l'aube. Il y avait encore des braises dans le poêle et elle ranima le feu avec du petit bois. Elle fit bouillir de l'eau pour le café et replia les couvertures. Tout en s'activant, elle ne cessait de penser à Jeff et à sa demande en mariage. Quel homme étrange… La croyant coupable, il avait tenu à l'épouser, sachant que le clan Mc Kane n'oserait pas porter plainte contre la nouvelle Mme Wagner.

Après avoir bu son café, elle rassembla ses affaires et quitta le cabanon. Dehors, l'air était frais, mais le vent était tombé. Rebus s'ébroua, et attendit sagement les directives de sa maîtresse.

Cette montagne qui séparait le ranch Wagner de la nouvelle propriété d'Eileen attirait irrésistiblement Elsa. Il existait peut-être un col ou un passage inconnu par où les bêtes auraient pu se faufiler et rejoindre le troupeau des Mc Kane. A moins que… Eileen aurait-elle volontairement inventé le vol de ses propres vaches ? Mais dans quel but ?

— Absurde, réfléchit-elle à haute voix, tout en se dirigeant vers la camionnette.

Les yeux toujours rivés sur la montagne, elle mit le contact, laissa chauffer un peu le moteur puis en roulant au pas, se dirigea vers les traces qu'elle avait aperçues au pied du grand canyon. Elle roula ainsi jusqu'au bout du chemin de terre qui se terminait en cul-de-sac. Elle partit à pied, Rebus sur les talons, et se fraya un chemin à travers les buissons d'épineux, en longeant le lit desséché d'une rivière. Arrivée à mi-hauteur des contreforts rocheux, elle s'arrêta quelques instants pour reprendre haleine. Le soleil qui commençait à monter dans le ciel n'avait pas encore tiédi l'atmosphère et elle souffla dans ses mains pour se réchauffer.

Puis elle reprit sa lente ascension, s'accrochant aux branches d'arbustes rabougris et tordus par le vent. Par moments, elle devait véritablement escalader des rochers en surplomb. Le pauvre Rebus la suivait avec difficulté, se retenant avec ses griffes pour ne pas tomber.

Epuisée, Elsa fit une nouvelle halte au sommet d'un éboulis. Le grand canyon qui s'enfonçait vers le nord et dont l'extrémité disparaissait à sa vue s'étendait à ses pieds.

Un sourd roulement de tonnerre lui parvint alors et elle fronça les sourcis en scrutant le ciel sans nuages. Rebus, qui s'était couché près d'elle, se releva brusquement et émit un bref jappement. Eberluée, la jeune femme vit venir en face d'elle un énorme semi-remorque monté sur chenilles, progressant lentement vers le canyon... Il était assez près pour qu'elle puisse lire sur la remorque, le mot « DEMENAGEMENT », peint en lettres rouges sur fond blanc.

La stupeur la figea sur place, puis un détail oublié lui revint en mémoire : quelques semaines plus tôt, elle avait lu dans le journal qu'un gang de voleurs de bétail opérait dans la région. A l'époque, elle n'y avait pas prêté attention.

L'énorme engin finit pas s'arrêter non loin d'elle,

dans un bruit de tonnerre, et deux hommes en descendirent. A cet instant seulement, elle pensa à s'accroupir derrière un rocher, mais trop tard. Les deux hommes avaient aperçu sa silhouette qui se découpait sur le ciel bleu, et faisaient des grands gestes dans sa direction.

— Rebus, viens vite !

Alors commença une course éperdue. Elsa essaya de mettre le plus de distance possible entre elle et les hommes qui s'étaient élancés à sa poursuite, mais la pente était si raide qu'elle ne cessait de tomber déchirant, la paume de ses mains en essayant de se raccrocher aux arbustes épineux.

Elle se crut sauvée en apercevant sa camionnette à quelques dizaines de mètres de là. Hélas, l'un de ses poursuivants, plus rapide, l'avait dépassée et lui barrait la route. Elle l'esquiva avec adresse, mais il plongea en avant et la plaqua sur le sol. Ils roulèrent tous deux dans la poussière. Elsa se débattit de toutes ses forces, cherchant à griffer son visage, mais ses doigts ne rencontrèrent qu'une cagoule de laine. Son adversaire beaucoup plus lourd qu'elle, lui fit une prise qui l'immobilisa au sol, un bras replié dans le dos.

Entre-temps, son compagnon les avait rejoints.

— Tiens, tiens, ricana-t-il. Regarde, Luke ! une vieille connaissance... comme le monde est petit... Notre judoka de Douglas ! Où est votre petit ami mexicain ?

Un frisson d'angoisse parcourut la jeune femme lorsqu'elle comprit qu'elle avait affaire aux deux hommes qui avaient agressé Rio dans les rues de Douglas, un an plus tôt.

Rebus, qui n'avait pas quitté Elsa, grognait sans cesse et montrait les dents.

— Faites taire votre sale cabot, Miss Judoka, ordonna le dénommé Luke en retirant sa cagoule.

— Couché, Rebus.

Le chien lui obéit, mais continua à montrer les dents.

— Que faites-vous dans cet endroit désert ? demanda le deuxième homme, dont elle se remémora brusquement le prénom, Hank.

Elsa ne répondit pas. Lentement, le puzzle commençait à se reconstituer dans son esprit. Durant des jours, les deux hommes avaient volé des vaches, les parquant ensuite dans l'énorme remorque afin d'aller les revendre dans d'autres états.

La jeune femme ne quittait pas Rebus des yeux ; si elle criait, le chien attaquerait sans hésiter ; mais elle savait aussi que ses agresseurs utiliseraient aussitôt leurs armes contre lui, de gros colts noirs glissés dans leur ceinture.

— Qu'allons-nous faire d'elle ? demanda Luke à son complice.

— Nous avons tout notre temps. Je propose que nous nous amusions un peu, répondit ce dernier avec un clin d'œil éloquent.

Elsa comprit aussitôt l'allusion et tenta de gagner du temps.

— Nous cherchons ce bétail depuis des semaines, dit-elle précipitamment. J'avoue que votre plan est très au point.

— Il suffit de savoir conduire un semi-remorque et de connaître certains propriétaires... aux idées larges. Steward nous avait conseillé de nous méfier du vétérinaire de Wagner, mais il ne nous avait pas dit que c'était une jolie fille, pas vrai, Luke ?

Ron Steward était donc bien complice...

— Vous avez aussi volé chez Mc Kane ?

— Un peu par-ci, un peu par-là...

Hank paraissait beaucoup s'amuser.

— La patrone de Ron semble bien décidée à vous faire accuser de vol de bétail, dirait-on. Mais les voleurs l'ont volée à son tour...

— Tais-toi, Hank, fit Luke, agacé, sans lâcher le bras de la jeune femme. Tu parles trop.

En effet, son compère avait trop parlé. Elsa savait à présent qu'Eileen était impliquée dans l'affaire. Jusqu'à quel point, elle n'osait l'imaginer... Quand Jeff apprendrait cela... non, jamais il ne la croirait.

Elle vit Hank se planter devant elle, les bras croisés, et l'examiner longuement, d'un regard qui en disait long sur ses intentions. Risquant le tout pour le tout, elle lui lança un violent coup de botte vers le haut de la cuisse, qui le fit se plier en deux de douleur. Surpris, Luke relâcha son étreinte et elle en profita pour se laisser rouler sur le côté. Rebus, comprenant les intentions de sa maîtresse, voulut se jeter sur Hank mais celui-ci, plus rapide, avait déjà degainé son revolver. Le coup parti et le chien stoppé dans son élan tomba lourdement sur le côté.

— Assassins ! hurla Elsa, en se précipitant vers Rebus.

Elle avait à peine fait deux pas qu'une violente

détonation la cloua sur place. Elle ressentit un choc violent au niveau des côtes, tomba à genoux dans la poussière, puis s'écroula de tout son long.

Luke jura entre ses dents.

— Nous ne devions pas nous servir de nos armes, Hank. Je t'avais dit de laisser ton colt dans le camion ! Je n'ai pas envie d'être accusé de meurtre.

L'autre ricana.

— De toute façon, nous risquons déjà une lourde peine. Alors, partons le plus vite possible. Je n'aimerais pas rencontrer les Mc Kane lorsqu'ils s'apercevront qu'on leur a vraiment volé le bétail. La jolie blonde ne voudra pas nous payer.

— Que fait-on d'elle ? demanda Luke, en désignant le corps de la jeune femme gisant sur le sol.

De sa position, Elsa ne voyait que leurs bottes poussiéreuses, dans une sorte de brouillard.

— Laissons-là ici. On la retrouvera pas avant longtemps et nous, nous serons loin.

Elsa entendit bientôt l'énorme camion démarrer et se diriger dans un fracas de tonnerre vers le chemin qui menait à la route nationale. Elle resta immobile, jusqu'à ce que le silence l'enveloppe tout à fait.

Le soleil était haut dans le ciel et elle en conclut qu'il était à peu près midi. Elle essaya de ramener son bras gauche contre elle avec précaution, et poussa aussitôt un gémissement. La douleur s'éveilla, atroce, brûlante. Elle crut qu'elle n'arriverait plus à respirer. Soudain elle poussa un cri : Rebus !

A quelques mètres d'elle, le chien gisait sur le

flanc, immobile. Pauvre Rebus. Il s'était sacrifié pour lui sauver la vie.

Elle devait absolument rejoindre la camionnette. Si elle n'arrivait pas à bouger avant la nuit, elle mourrait de froid. Elle commençait à ramper vers l'inaccessible véhicule quand elle entendit un léger gémissement. Rebus était encore vivant ! Sans hésiter elle repartit au sens contraire, vers son fidèle compagnon.

Chapitre 11

Jeff s'était longuement attardé devant chez Elsa après qu'elle l'eut mis dehors. Pour la première fois de sa vie, il hésitait à prendre une décision : enfoncer la porte et prendre Elsa dans ses bras, ou lui laisser le temps de réfléchir ? Finalement il opta pour la deuxième solution, se disant que la jeune femme avait sans doute besoin d'être seule.

Il était à peine rentré chez lui quand la sonnerie du téléphone retentit.

— C'est l'école de Miss Amanda, monsieur, dit Lily en lui tendant l'appareil d'un air inquiet.

— Allô, ici Jeff Wagner.

Il écouta la voix à l'autre bout du fil en hochant la tête, puis déclara :

— Je serai là vers midi. Ne lui donnez pas de médicaments avant d'avoir appelé le docteur Monroe, à Newark.

Décidément la journée commençait mal. Amanda avait pris froid et l'infirmière de l'école craignait une otite.

— Bon, Lily, je vais immédiatement à Tucson. Rassurez-vous, rien de grave. Une simple grippe.

Avant de partir, il alla voir Steve et Jasper, pour les prévenir qu'il s'absentait pour la journée.

— Surtout, gardez l'œil sur Elsa. Il ne faut pas qu'elle retourne au camp 20. On ne sait jamais, les voleurs pourraient revenir.

— Jeff, veux-tu que je t'emmène à Tucson en avion ? proposa Jasper.

— Non, je préfère que tu effectues un vol de reconnaissance sur le terrain.

En arrivant à l'infirmerie de l'école, il trouva Amanda au lit, frissonnante de fièvre. Il resta tout l'après-midi à son chevet et lui raconta des histoires, jusqu'à ce qu'elle s'endorme. Vers dix-neuf heures, jugeant qu'il était trop tard pour rentrer au ranch, il téléphona à Steve pour le prévenir qu'il dormirait à l'hôtel.

— Comment va Elsa ? ajouta-t-il avant de raccrocher.

— Personne ne l'a vue. Elle ne doit pas avoir envie de sortir de chez elle. J'ai dissuadé Jamie d'aller la déranger, pensant qu'elle avait besoin d'être seule.

Jeff reposa le combiné et composa aussitôt le numéro d'Elsa. A la dixième sonnerie, il raccrocha. Elle devait être sortie. A moins qu'elle n'ait décroché son poste, pour ne pas être importunée.

Le lendemain matin, il retourna à l'école où il constata avec joie que la fièvre d'Amanda était tombée, bien qu'elle eût encore mal aux oreilles et à la gorge.

— Je reviendrai la semaine prochaine avec Elsa, dit-il en souriant. Tu seras contente de la voir, n'est-ce pas ?

— Oh oui papa. Mais si j'habitais au ranch, je la verrais tous les jours !

Elsa avait raison, songea-t-il avec un affreux sentiment de culpabilité ; sa fille serait bien plus heureuse au ranch. A la fin du mois, il reprendrait Mandy et la garderait avec lui jusqu'aux vacances.

Chaque jour, à tour de rôle, les habitants du ranch lui feraient réviser ses leçons. Peut-être même qu'Elsa accepterait de lui servir d'institutrice ? Elsa... Il devait absolument la convaincre qu'elle se trompait, qu'il ne voulait pas l'épouser pour la protéger, mais bien parce qu'il l'aimait ; oui, il l'aimait, depuis la première seconde où il l'avait rencontrée à El Paso. Cette passion s'était peu à peu insinuée dans son cœur, jusqu'au soir de Noël où Eileen l'avait pressé d'annoncer leurs fiançailles. A ce moment-là, il avait compris qu'il n'épouserait jamais l'héritière des Mc Kane. Et la veille, quand Elsa avait accepté de devenir sa femme, il avait cru étouffer de bonheur. Une soudaine flambée de désir s'empara de lui et il appuya plus fort sur l'accélérateur. Jamais le trajet jusqu'au ranch ne lui avait paru aussi long. Sans prendre la peine de s'arrêter chez lui, il se rendit directement chez Elsa et poussa une exclamation désappointée lorsqu'il vit que la camionnette bleue n'était plus devant la porte.

Il s'aperçut alors de la présence de ses amis, assis sur les marches de la terrasse.

— Comment va Mandy ? s'enquit Steve.

— Très bien, merci. Ce n'était qu'une petite grippe. Où est Elsa ? ajouta-t-il en regardant autour de lui.

Jasper poussa un profond soupir.

— Elle est partie, Jeff.

— Partie ? Où donc ?

— Personne ne le sait. Elle a emporté toutes ses affaires. Tu peux vérifier par toi-même...

— A-t-elle... a-t-elle laissé un message ? balbutia Jeff, abasourdi.

Les deux hommes secouèrent la tête.

— Etes-vous sûrs qu'elle a tout emporté ? Même ses livres ?

— Oui, Jeff. Tout.

Il réfléchit, les mâchoires serrées.

— Avant toute chose, elle a dû aller voir Rio à Tucson. Si nous lui téléphonions ?

Ils montèrent tous les trois dans sa voiture. Jeff se maudissait intérieurement d'être parti trop vite, de ne pas avoir réussi à la convaincre qu'il était persuadé de son innocence. Il comprenait parfaitement sa réaction. A sa place il aurait sans doute agi de la même façon...

Il appela Rio, qui parut tout heureux de l'entendre. Ils bavardèrent amicalement durant quelques minutes, puis Jeff demanda d'un ton qu'il essaya de rendre le plus neutre possible :

— Peux-tu me passer Elsa ?

— Elsa ? Elle n'est pas là. Je ne savais pas qu'elle devait venir me voir...

— Ah ? J'avais cru comprendre qu'elle projetait

de faire des courses à Tucson et j'ai pensé qu'elle irait chez toi.

— C'est possible, il est encore très tôt. Voulez-vous me laisser un message ?

— Dis-lui simplement de me rappeler au ranch, répondit Jeff, désireux de ne pas inquiéter le jeune homme.

Il raccrocha et se tourna vers ses amis.

— Où diable est-elle donc ?

Jasper se gratta la tête.

— Il reste une possibilité : Jim Summers. Je sais qu'il lui a proposé du travail à plusieurs reprises. Mais la route d'Apache Junction passe par Tucson. Elle se serait arrêtée pour voir Rio.

Jeff fronça les sourcils.

— Si elle avait pris cette direction, j'aurais dû la croiser... Cette nuit, j'ai dormi à l'hôtel où elle a l'habitude de descendre. Je n'ai pas vu la camionnette. Tout d'abord, il faudrait savoir à quelle heure elle a quitté le ranch.

Il se dirigea vers la fenêtre et contempla le paysage. Le ciel s'assombrissait et un vent d'ouest soufflait, annonciateur de tempête. Elsa aimait le désert, la solitude. Aurait-elle eut l'idée de se réfugier dans les montagnes ?

— Steve, Jasper, dit-il soudain, prenez l'avion et allez survoler toutes les routes jusqu'à Tucson. N'oubliez pas vos jumelles. Moi je reste ici, au cas où elle téléphonerait.

Après le départ de ses amis, Jeff alla s'installer dans la véranda, sur son rocking-chair, et pour se calmer joua un air d'harmonica. Il se souvenait de l'expression horrifiée d'Elsa lorsqu'il lui avait annonçé qu'Eileen l'accusait du vol de son bétail. Et lui, qu'avait-il dit pour l'aider ? Rien. Des phrases creuses. « Mais non, personne ne vous soupçonne, chère Elsa... »

Il se rendit compte alors que depuis la mort de Myra, il n'avait pas prononçé de mots d'amour... La première fois qu'il avait vu Elsa à El Paso, il avait su immédiatement qu'elle serait celle qu'il aimerait.

Jeff posa son harmonica, et, les coudes appuyés sur ses cuisses, tenta de revoir la chronologie des événements. Le jeudi précédent, Eileen lui avait annoncé d'un air triomphant :

— Tu penses que ton vétérinaire est un ange ? Eh bien mon cher, j'ai la preuve qu'elle n'est qu'une vulgaire voleuse. Et pire, elle a trahi ta confiance.

Ebahi, Jeff lui fit répéter sa phrase. Son incrédulité mit Eileen en rage.

— Tu crois que je mens ? Alors, écoute-moi ; la nuit dernière, Ron l'a suivie jusqu'au cabanon du camp 20. Sais-tu ce qu'il a découvert ? Une centaine d'agrafes usagées. Je te préviens, dès lundi je porte plainte.

Eileen avait marqué un point, et elle le savait. Le lendemain soir, elle était revenue lui dire que s'il acceptait de licencier Elsa, elle condescendrait à ne pas porter plainte. C'est à ce moment-là qu'il lui avait annoncé son projet d'épouser la jeune femme.

— A partir de ce soir, c'est la guerre entre nous mon petit Jeff, lui avait dit Eileen d'une voix pleine de fiel...

Jeff sursauta en entendant la sonnerie du téléphone et courut décrocher.

— Jeff ? Ici Jim Summers. Je cherche à Joindre Miss Whitelake, or son téléphone ne répond pas. Savez-vous si elle a quitté votre ranch ? Je l'attends depuis midi.

— Mais pourquoi doit-elle venir chez vous ? s'étonna Jeff.

— Vous le savez parfaitement. Elle a accepté de travailler pour moi. Ne la voyant pas arriver, j'ai pensé que vous l'aviez persuadée de rester chez vous.

Il marqua une pause et reprit d'une voix dure :

— Je suis prêt à la payer très cher pour la convaincre de quitter un employeur qui l'accuse de vol...

Jeff se raidit.

— Qui vous a dit que je l'accusais ?

— Elle-même. Elle tenait à ce que je sois au courant avant de l'engager. Allons, Jeff, soyez beau joueur et dites-moi depuis quand elle est partie.

— En vérité, nous ne savons pas où elle est, expliqua ce dernier d'un ton radouci. J'espérais qu'elle serait chez vous...

Cette fois, son inquiétude se transforma en une véritable angoisse.

— Jim, je vais alerter le shériff de Tombstone et téléphoner aux hôpitaux de la région. Et tous mes hommes partiront à sa recherche.

— Très bien. Prévenez-moi dès que vous aurez du nouveau.

Deux heures plus tard, Steve et Jasper étaient de

retour, épuisés et bredouilles. Jeff les informa brièvement de l'appel de Jim Summers.

— Il n'y a pas de temps à perdre. Je sais que vous êtes fatigués, mais il faut repartir tout de suite. Carue nous attend avec ses hommes.

Lorsque Jeff eut expliqué au métis tout le détail de la situation, il vit celui-ci serrer les poings.

— Patron, sans vouloir vous vexer, il faut être fou pour croire que cette femme a volé des vaches qu'elle soigne depuis des mois...

— Je ne l'accuse pas, Carue, soupira Jeff, mais Eileen a l'intention de porter plainte. Elle a perdu beaucoup de bêtes, ne l'oubliez pas.

Le métis eut une moue méprisante qui exprimait mieux que les mots ce qu'il pensait d'Eileen Mc Kane, puis il ajouta :

— Si vous voulez mon avis, elle est encore à la recherche du bétail. Elle mettait un point d'honneur à le retrouver.

— Carue, le temps presse, intervint Jasper. Avez-vous des hommes qui puissent nous prêter main-forte ?

— Ed et Cecil sont en train de clôturer des parcs sur le versant sud du canyon...

Il les accompagna jusqu'à la jeep. Au moment où Jeff démarrait, il l'entendit bougonner :

— J'espère qu'il n'est pas trop tard et qu'ils la retrouveront vivante.

Jeff frissonna. Carue venait d'exprimer tout haut ce qu'il redoutait le plus...

Ils rencontrèrent Ed et Cecil à l'endroit indiqué par Carue et leur expliquèrent brièvement la situation. En silence, les deux hommes allèrent chercher leurs carabines dans le coffre de leur véhicule et montèrent à l'arrière de la jeep.

— Nous passerons d'abord par le camp 20, expliqua Jeff. On ne sait jamais...

En arrivant en vue du cabanon, Ed et Cecil sautèrent de la jeep et se postèrent derrière deux rochers, fusils pointés. Jeff courut vers la porte, l'ouvrit brutalement, attendit quelques secondes et fit signe à Steve et Jasper.

Les trois hommes découvrirent une pièce en ordre, les couvertures pliées, la tasse à café soigneusement rincée et rangée. Jeff ouvrit la porte du poêle et glissa sa main à l'intérieur.

— Les cendres sont encore tièdes, dit-il en se redressant. Quelqu'un est passé ici il n'y a pas longtemps.

— Monsieur Wagner ! cria Cecil, du dehors, venez voir !

Il leur désigna des traces de pneus qui se dessinaient avec netteté dans le sable.

— Elles sont assez récentes, sinon le vent les aurait déjà effacées.

— On dirait qu'elles partent vers le nord, remarqua Ed, vers chez O'Toole. Mais le chemin se termine en cul-de-sac.

Jasper prit le volant et fit crisser les pneus de la jeep qui bondit en avant sur le sentier cahoteux.

— Là-bas ! s'écria soudain Steve qui examinait le paysage à la jumelle.

Ils virent en effet, au loin, scintiller le capot de la

camionnette bleue. Le soleil commençait à se coucher lorsque la jeep s'immobilisa à sa hauteur.

Jeff contourna le véhicule, ouvrit la portière et poussa un cri étouffé : Elsa était allongée, inanimée, sur la banquette avant, la main droite posée sur le chien couché à ses pieds. Par réflexe, il palpa la gorge de la jeune femme et sentit une veine palpiter faiblement.

— Elle vit encore. Contactez Carue par radio et demandez-lui d'appeler un hélicoptère d'évacuation d'urgence. Ah ! Dites-lui aussi de joindre le shériff Denton et d'alerter toutes les patrouilles de police de la région.

Jeff alla ensuite chercher une couverture dans la jeep et en recouvrit Elsa. Involontairement, ses doigts effleurèrent la veste de la jeune femme et il s'aperçut qu'elle était pleine de sang. Il défit délicatement les boutons, écarta les pans de son chemisier et remarqua au niveau des côtes un petit trou sombre...

— Elsa... murmura-t-il en repoussant doucement en arrière une mèche de cheveux pleine de sable.

Puis il se pencha sur Rebus. Le vieux chien respirait encore. On ne voyait pas de plaie apparente, mais sa fourrure était tachée de sang.

— L'hélicoptère ne parviendra sans doute pas à se poser après la tombée de la nuit, dit Jasper en scrutant le ciel.

— J'y ai pensé, répondit Steve. Je leur ai dit d'atterrir dans la clairière derrière le cabanon. Le problème est de la transporter jusque-là...

— Déplaçons-la légèrement vers la droite. Je conduirai la camionnette et vous me suivrez en jeep.

Il démarra lentement, pour éviter les cahots. Ni Elsa ni Rebus n'avaient repris conscience. D'ailleurs, leur immobilité était impressionnante.

Avec d'infinies précautions, ils soulevèrent la jeune femme par les aisselles et la posèrent sur une grande planche que Steve avait trouvée à côté du cabanon.

A l'intérieur, Ed avait déjà allumé la lampe à pétrole, et ranimé les braises. Cecil prit le chien dans ses bras et l'installa sur une vieille couverture, devant le poêle.

— La lune n'éclairera pas assez la clairière, fit Jeff d'un ton soucieux. Allumez les phares des deux voitures, afin que le pilote puisse nous repérer.

Ed et Cecil s'exécutèrent immédiatement. Pendant ce temps, Jasper mit de l'eau à chauffer. Dès qu'elle frémit, il y trempa son mouchoir, et, soulevant la couverture, épongea doucement la plaie de la jeune femme.

— La blessure est bien nette, dit-il à haute voix, incapable de supporter le silence de Jeff, prostré sur une chaise.

Il sortit dehors pour fumer une cigarette, bientôt rejoint par Steve.

— Je me demande à quoi il peut bien penser, fit ce dernier en s'asseyant à côté de lui. Il n'a pas desserré les dents depuis dix minutes.

Jeff tentait tout simplement d'apaiser sa colère : il aurait pu tuer les agresseurs d'Elsa s'il les avait trouvés sur son chemin.

Soudain, la jeune femme poussa un léger gémissement et tourna la tête de droite à gauche. Jeff se pencha vers elle et humecta sa bouche avec une serviette humide.

Ed apparut sur le seuil de la porte.

— Monsieur Wagner, l'hélicoptère est là. Nous avons allumé deux grands feux à chaque extrémité de la clairière.

— Merci. Jasper, peux-tu me passer une couverture supplémentaire ?

Ce dernier mit une couverture devant le poêle, puis se pencha vers Rebus, qui commençait à s'agiter.

— Tout va bien, mon garçon, chuchota-t-il, vous serez sauvés tous les deux. Pouvez-vous emmener aussi le chien ? demanda-t-il aux deux hommes qui venaient d'arriver pour installer Elsa sur un brancard.

— Je pense qu'il n'y a pas de vétérinaire à l'hôpital de Tucson, dit l'un des deux brancardiers en souriant, mais quelqu'un saura bien le soigner...

Les cinq hommes regardèrent l'hélicoptère s'élever dans le ciel, soulevant un nuage de sable et de poussière.

— Je ramène la camionnette d'Elsa au ranch, dit Jeff. Je vous retrouve dans une heure à l'aérodrome. Nous prendrons l'avion jusqu'à Tucson.

Dès leur arrivée à Tucson, ils allèrent chercher Rio et l'emmenèrent à l'hôpital.

— Je ne comprends rien, murmura le jeune

homme d'une voix incrédule. Qui peut bien vouloir du mal à Elsa ?

— Elle a dû surprendre les voleurs en flagrant délit.

— Mais pourquoi ont-ils tiré sur elle ? gémit-il en se prenant la tête entre les mains.

Un homme en blouse blanche vint à cet instant les retrouver dans la salle d'attente.

— Bonsoir messieurs. Je me présente : docteur Barry. Nous venons d'opérer Miss Whitelake ; la balle, de fort calibre, est passée tout près du cœur. Il faut compter aussi un fort traumatisme et un début de broncho-pneumonie.

— Quelles sont ses chances, docteur ? demanda Jeff d'une voix blanche. Soyez franc.

— Miss Whitelake a perdu beaucoup de sang, mais elle est jeune et vigoureuse. Pour l'instant, nous la gardons en service de soins intensifs. Je pense pouvoir vous donner un bulletin de santé dans vingt-quatre heures.

Un murmure étouffé attira l'attention des deux hommes : Rio, mortellement pâle, paraissait prêt à s'évanouir.

— Il y a une cafétéria au rez-de-chaussée, dit le médecin. Allez donc boire quelque chose de chaud. Ensuite essayez de dormir un peu. On vous donnera une chambre à l'étage au-dessus.

A six heures du matin, Jeff se réveilla en sursaut en entendant la porte s'entrouvrir. Rio dormait comme un enfant, roulé en boule sur son lit.

— Monsieur Wagner ? chuchota l'infirmière,

Miss Whitelake a repris connaissance. Vous pouvez la voir cinq minutes, si vous le désirez.

Jeff bondit de son lit, passa la main dans ses cheveux et suivit l'infirmière à travers un dédale de couloirs. Le cœur battant, il entra dans une pièce plongée dans la pénombre, et retint sa respiration devant le spectacle qui s'offrait à lui. Elsa était sous perfusion. Son œil droit était tout gonflé et un gros hématome marquait sa joue gauche.

— Ne la fatiguez pas, surtout, murmura l'infirmière avant de refermer la porte.

Jeff crut voir la jeune femme esquisser un geste dans sa direction, et lui prit doucement la main.

— Jeff ?

— Oui, Elsa.

Elle entrouvrit une paupière, qui laissa apparaître l'éclat d'une prunelle turquoise.

— Je veux voir Rio.

— Mais le docteur interdit les visites. Vous êtes encore très faible.

Du bout de la langue, la jeune femme humecta ses lèvres craquelées.

— Juste une minute, Jeff. C'est très important.

— Bon, je vais le chercher.

Il trouva le jeune homme en train de faire les cent pas dans le couloir.

— Elle veut te voir, Rio. Sois courageux...

Dix minutes plus tard, le jeune mexicain ressortait de la chambre. Il était toujours aussi pâle, mais quelque chose avait changé dans son expression. Dès qu'il prit la parole, Jeff sentit la colère dans sa voix.

— Elle a identifié ses agresseurs.

— T'a-t-elle dit leurs noms ?

— Nous ne connaissons que leurs prénoms. Hank et Luke.

— Nous ? Que veux-tu dire ?

— Nous les avions rencontrés l'an passé à Douglas. Ils cherchaient la bagarre et Elsa les avait mis en fuite. Elle désire que je dessine leur portrait-robot, de mémoire, et que vous alliez les porter à la police.

— Penses-tu y parvenir ?

— J'essaierai.

— Alors prends un taxi, rentre chez toi et téléphone-moi dès que tu auras fini.

Les médecins autorisèrent Jeff à rester au chevet de la malade. Les heures s'écoulaient, interminables. Elsa ouvrait parfois les yeux, sans vraiment reprendre conscience. De ses lèvres desséchées s'échappaient parfois des bribes de phrases, inintelligibles. Mentalement, Jeff embrassait ses joues, ses lèvres, son corps menu dissimulé sous le drap blanc.

Soudain, il vit qu'elle le regardait, les yeux bien ouverts.

— Elsa...

Elle ébaucha un sourire et lui pressa doucement la main. Ce fut tout.

Lorsqu'il sortit de la chambre, il rencontra Steve et Jamie dans la salle d'attente.

— Nous ne pouvions plus attendre, expliqua Jamie. Comment va-t-elle ?

— Pas de grand changement. Si les médecins

parviennent à enrayer la pneumonie, elle sera sauvée.

A ce moment, une infirmière vint le prévenir qu'il y avait un appel pour lui.

C'était Rio, tout excité.

— Jeff ? Les dessins sont terminés.

— Parfait ! J'arrive tout de suite.

Il sauta dans un taxi, donna l'adresse de Rio et demanda au chauffeur de l'attendre en bas de l'immeuble. Dix minutes plus tard, il redescendait avec le jeune homme.

— Au poste de police, s'il vous plaît.

Les policiers examinèrent les dessins avec intérêt et les comparèrent avec les photos d'individus fichés dans leurs services. Une photo affichait une ressemblance frappante avec l'un des croquis.

— Le deuxième avait une cicatrice sur la joue droite, expliqua Rio, mais Elsa m'a dit qu'il s'était laissé pousser la barbe.

— Cal, te souviens-tu du dossier que nous avons reçu il y a deux mois du Montana ? demanda le sergent Scarsdale à son collègue. Ce doit être notre homme.

— Oui, il fait partie du gang qui écume les ranchs du Montana et du Dakota. Merci, jeune homme, vous avez fait du bon travail.

Ils quittèrent le poste de police et retournèrent à l'hôpital, où ils retrouvèrent Steve, Jamie et Jasper. Jeff, épuisé, se laissa tomber dans un fauteuil.

— Nous avons réservé des chambres d'hôtel, lui dit Jasper. Tu devrais aller te coucher. Moi je reste ici.

— Non, je préfère rester. Ramenez Rio chez lui. Nous nous verrons demain matin.

Il somnola plutôt qu'il ne dormit et était déjà debout lorsque le docteur Barry entra dans sa chambre.

— Comment va-t-elle, docteur ?

— Elle est encore très faible, dit celui-ci avec un doux sourire. Mais elle est sauvée.

Elsa entrouvrit les paupières, cligna des yeux et vit une forme blanche, indistincte, qui s'approchait d'elle. Puis elle entendit la voix de l'infirmière.

— Comment va notre malade ?

La jeune femme ne parvint pas à articuler un seul son, tant ses lèvres étaient gonflées et douloureuses. L'infirmière s'en aperçut et lui fit boire un peu de jus d'orange.

— Je laisse le verre à côté de vous. Le docteur Barry va venir vous examiner.

Ce dernier apparut dans l'encadrement de la porte.

— Vous avez beaucoup dormi, jeune dame ! Et il y a beaucoup de gens qui sont impatients de vous voir...

Elsa poussa un cri lorsque le médecin lui ôta son pansement pour examiner sa cicatrice. Une douleur terrible, fulgurante, qui descendit jusqu'à sa jambe...

Lorsqu'elle rouvrit les yeux, elle vit le visage anxieux de Jeff penché sur elle. Jeff comme elle ne l'avait jamais vu, avec une barbe de trois jours, et des yeux cernés.

— Jeff, murmura-t-elle, où est Rebus ?

— Il va bien, rassurez-vous. Il est devenu la mascotte de l'hôpital !

Elle se laissa retomber sur son oreiller.

— J'avais si peur...

— Chut... ne vous fatiguez pas. Laissez-moi parler. Rio a dessiné les portraits-robots comme vous le lui aviez demandé. La police pense pouvoir identifier rapidement les coupables.

Soudain, Elsa se souvint de tout avec clarté. Jamais elle ne pourrait annoncer à Jeff qu'Eileen McKane était responsable de toute l'opération. Elle retira sa main de celle de Jeff et la glissa sous son drap. Devant l'expression étonnée de son visiteur, elle ferma les yeux pour ne pas se trahir.

— Je sais que vous êtes encore très fatiguée, murmura-t-il en effleurant sa tempe. Le docteur Barry m'a demandé de ne pas rester longtemps.

A peine avait-il quitté la pièce qu'elle s'endormit. La soif la réveilla, mais elle se sentait trop lasse pour attraper la bouteille d'eau minérale sur la table de chevet. Elle n'aurait su dire combien de jours s'étaient écoulés depuis l'accident. L'accident ! Elle se souvenait encore du choc qu'elle avait éprouvé en voyant surgir l'énorme semi-remorque, puis de son horreur en apprenant qu'Eileen avait fait voler son propre bétail pour faire peser les soupçons sur elle. Mais à malin, malin et demi ! Hank et Luke ne s'étaient pas contentés de déplacer le troupeau. Ils avaient vraiment volé les vaches pour les revendre !

Une infirmière souriante apparut sur le seuil.

— C'est l'heure de votre piqûre, Miss Whitelake.

Vous paraissez fiévreuse, remarqua-t-elle en tâtant son front.

— Je fais des cauchemars, murmura Elsa. Je ne veux pas dormir... pas... dormir.

Le liquide injecté avait déjà produit son effet. Une délicieuse torpeur l'envahissait, les contours de la pièce devenaient flous. Elle sombra bientôt dans un profond sommeil.

Chapitre 12

Le jeudi suivant, Elsa quitta le service de soins intensifs pour une chambre « normale ». Une jeune aide-soignante vint l'aider à faire un brin de toilette, car elle était encore trop faible pour tenir debout sous la douche.

— Je me sens si fatiguée, murmura-t-elle, tandis que la jeune fille brossait ses cheveux pour les débarrasser du sable qui la démangeait.

— C'est bien normal, Miss, après tout ce qui vous est arrivé... Vous êtes une vraie héroïne, vous savez ! On parle de vous dans les journaux.

Nous avons eu de la chance, mon vieux Rebus, songea Elsa en pensant à son chien. Le docteur Barry lui avait dit que Jeff l'avait ramené au ranch. Jeff... Elle en était au point de redouter ses visites, tant l'idée de lui avouer la responsabilité d'Eileen la répugnait.

A midi, on lui apporta son déjeuner. Elsa mangea sans appétit et repoussa bientôt son plateau, somnolente. Sans même s'en rendre compte, elle s'assoupit...

Elle courait. Des inconnus la poursuivaient sans répit, sur un terrain plat et découvert où elle ne pouvait trouver aucune cachette. Son cœur menaçait d'éclater et pourtant elle ne pouvait s'arrêter une seule seconde de peur d'être rattrapée. Soudain, sa course fut arrêtée par une haute muraille qui montait jusqu'au ciel. Elle était perdue. Courageusement, elle se retourna et fit face à ses adversaires, ou plutôt *son* adversaire : Eileen McKane, vêtue d'un pantalon et d'un chemisier blanc, le chapeau rejeté en arrière, qui tenait à la main une cravache de cuir flexible.

Elle partit d'un rire sauvage, démoniaque et cingla le visage de sa rivale avec la cravache.

— Moi seule connaissait l'éboulis créé par le tremblement de terre il y a trois ans, sur la propriété O'Toole. Le camion est passé par là...

Son rire affreux se répercutait dans tout le canyon.

— Maintenant je suis sûre que Jeff ne vous épousera jamais... épousera jamais... jamais...

Elsa poussa un hurlement et se réveilla en sursaut. Elle avait mal aux côtes d'avoir tant couru. Mais non, je ne courais pas, se dit-elle en refermant les yeux, je rêvais.

Lorsque Jeff entra dans la chambre, elle avait cessé de trembler, mais elle était toujours en proie à une vive agitation. Il s'aperçut aussitôt que quelque chose n'allait pas.

— Elsa, que se passe-t-il ? Vous avez pleuré...

— J'ai dû cogner mon pansement en dormant.

Jeff la fixa, incrédule, puis porta son regard sur le plateau auquel elle avait à peine touché.

— Vous devriez manger un peu...

— Je n'ai pas faim...

— Elsa, je veux vous aider. Dites-moi ce qui ne va pas.

Elle détourna la tête, mais il lui releva doucement le menton pour l'obliger à le regarder.

— Je comprends que vous n'ayez pas envie d'en parler, mais plus tôt vous nous direz ce qui s'est passé, plus vite nous pourrons arrêter ces misérables... Les dessins de Rio ont déjà beaucoup aidé la police.

Il s'assit au pied du lit.

— Il paraît que vous aviez déjà eu maille à partir avec ces deux individus...

— C'était l'an dernier. J'avoue que j'avais oublié l'incident, répondit-elle en lissant le drap de sa main amaigrie.

— Savez-vous pour qui ils opéraient dans le secteur ? Vous les avez peut-être entendu parler...

La main de la jeune femme s'immobilisa sur le drap.

— J'étais... j'étais trop loin d'eux, dit-elle d'une voix crispée. Et puis, après le coup de feu, je... je crois que je me suis évanouie.

Soudain, son rêve lui revint en mémoire. Elle fronça les sourcils.

— Jeff, n'y a-t-il pas eu un tremblement de terre dans la région ?

— Oui, en effet, admit-il après un bref silence. La terre a tremblé, il y a deux ou trois ans. Rien de sérieux, quelques glissements de terrain sans gravité. Pourquoi posez-vous cette question ?

— Je pense que ce tremblement de terre a dû créer un passage, une faille, par où des véhicules auraient pu s'introduire.

— C'est possible, dit Jeff en se levant. Je demanderai à Carue d'aller vérifier. A présent, il faut vous reposer, Elsa.

Au moment de quitter la pièce, il se retourna en souriant.

— Je vais voir Amanda et déjeuner avec elle. Je n'ai pas osé lui dire ce qui vous était arrivé. Je vais devoir la convaincre d'aller à Newark sans vous !

Peu après le départ de Jeff, le docteur Barry fit son apparition.

— Alors, jeune dame, on ne mange pas ? La diététicienne va s'arracher les cheveux !

Il défit son bandage, examina attentivement la plaie puis lui refit un pansement propre. Ensuite il regarda sa courbe de température et lui prit le pouls.

— Souffrez-vous ? demanda-t-il en fronçant les sourcils.

— Non, docteur. Quand pourrai-je quitter l'hôpital ?

— Etes-vous donc si pressée de nous quitter ?

Il sourit et lui tapota la main.

— Dès que votre fièvre sera tombée, nous vous libérerons, soyez sans crainte. Vous pourrez rentrer tranquillement chez vous.

Chez elle... Ces deux mots lui firent mal. Elle n'avait plus de maison, plus de jardin secret où se réfugier, plus d'attaches. Plus d'avenir.

Sur cette pensée, elle s'endormit et se réveilla une heure plus tard pour voir le visage de Jasper penché au-dessus d'elle. Il tenait dans ses bras un énorme bouquet de roses parfumées.

— Jasper, mais où avez-vous trouvé des roses en cette saison ?

— Ça, c'est mon secret, dit-il en déposant un baiser léger sur son front.

Puis son expression redevint grave.

— Jeff m'a dit au téléphone que vous aviez toujours de la fièvre. Tiens, à propos, nous avons reçu un appel du sheriff de Kane Country, dans l'Utah. Il venait d'appréhender deux individus répondant à la description de vos agresseurs. Un jour ou l'autre, Elsa, vous serez amenée à les identifier.

Elle hocha la tête. Une question la rongeait : Luke et Hank avaient-ils dénoncé Eileen et son contremaître ? C'était peu probable... Dans ce cas, Jasper se serait empressé de la mettre au courant.

— Jasper, puis-je vous demander une faveur ?

— Tout ce que vous voudrez, Elsa.

— Pourrais-je avoir un téléphone dans ma chambre ?

— Rien de plus facile. Et surtout, pensez à appeler Jamie. Elle est dans tous ses états !

Peu après le départ de Jasper, elle eut la joie de voir arriver Rio.

— Je vais mieux, tu sais, dit-elle aussitôt devant son expression angoissée. On va peut-être me laisser sortir bientôt. Il paraît que tu as fait du beau travail...

Le jeune homme sourit.

— Oh, ce n'était pas si difficile. Les visages de ces

deux hommes étaient restés gravés dans mon cerveau. Je ne comprends toujours pas pourquoi ils ont tiré sur toi.

— Ils ont eu peur que je les dénonce, tout simplement. N'y pense plus, Rio, c'est du passé...

Carue, Ed et Cecil vinrent la voir le samedi après-midi. Puis les voisins, les Howard, les Trenton, les Sandoval... Sa chambre ressemblait à une serre où s'épanouissaient roses, anémones, jonquilles, narcisses, que les infirmières se dépêchaient de sortir tous les soirs.

Un employé de la compagnie des téléphones était venu la veille lui installer un combiné. Elsa s'apprêtait à composer le numéro de Jim Summers, quand celui-ci apparut sur le seuil de la porte.

— Jim ! je vais croire à la télépathie ! J'allais justement vous appeler pour vous demander si je pouvais tout de suite aller m'installer chez vous, en sortant d'ici. Je... je ne veux pas retourner au ranch Wagner. Je vous paierai un loyer, bien entendu.

— Voyons, Elsa, vous n'y pensez pas ! Je vous considère déjà comme faisant partie de mon personnel, donc logée à titre gratuit.

— Mais je ne suis pas en état de travailler ! Vous n'allez pas me payer à ne rien faire.

— Jeff Wagner sait-il que vous ne voulez pas retourner chez lui ? demanda-t-il sans répondre à sa question.

— Non, pas encore.

— Vous croit-il toujours coupable ?

Elsa fit la grimace.

— Non, enfin je ne pense pas.

— Quelqu'un a-t-il des nouvelles de Miss McKane ? On ne la voit plus en ville, ces derniers temps...

— En tout cas, elle n'est pas venue me voir, observa la jeune femme avec humour.

Jim Summers prit bientôt congé d'elle, en promettant de revenir dès que possible.

— Votre maison est déjà prête, ajouta-t-il avant de refermer la porte. Nous prendrons bien soin de vous.

Dès qu'elle fut seule, Elsa se leva et fit très lentement le tour de la chambre, à petits pas, en s'appuyant au mur. Puis elle se rassit sur le lit pour reprendre son souffle et recommença l'opération, à deux reprises. Elle se risqua même à faire quelques pas dans le couloir et aperçut Jeff qui sortait de l'ascenseur.

— On dirait qu'il y a du progrès, dit-il en l'entourant par la taille.

— Je vous croyais dans l'Utah ?

— En effet, nous en revenons à l'instant. Jasper m'a déposé devant l'hôpital. Venez, j'ai quelque chose à vous montrer.

Une fois dans la chambre, il sortit de la poche intérieure de sa veste une enveloppe contenant deux photographies.

— Ces visages vous sont-ils familiers ?

Elsa étudia attentivement les deux clichés.

— Oui, ce sont eux.

— En êtes-vous bien sûre ?

— Oui, absolument. Je les reconnaîtrais entre mille !

Jeff reprit les photos.

— Ce sont les deux hommes qui ont été arrêtés. Ils étaient également recherchés dans le Montana et l'Arizona.

— Et le bétail ?

— Une partie a été récupérée. Les voleurs prétendent que les autres doivent encore se trouver sur la propriété des McKane. A moins que quelqu'un ne les ait déjà déplacées... Ron Stewart, par exemple... ?

— Ron ? répéta Elsa d'un ton faussement étonné.

— Saviez-vous qu'il était impliqué dans ce vol ?

La jeune femme hésita, ne sachant pas jusqu'à quel point il était instruit de l'affaire.

— J'ai cru entendre Hank et Luke dire que Steward leur avait demandé de détourner le bétail. Mais ceux-ci ne se sont pas contentés de le déplacer.

Jeff hocha la tête.

— Elsa, vous ne me dites pas toute la vérité. Steward n'est que le contremaître, quelqu'un a dû lui donner des ordres... N'oubliez pas que l'on a voulu vous tuer. Pourquoi n'osez-vous pas me parler d'Eileen ?

Elle prit une profonde inspiration.

— Jeff, je ne retournerai pas au Ranch, répondit-elle, éludant sa question. En sortant d'ici, j'irai directement chez Jim Summers. Vous pourrez alors vous expliquer avec Miss McKane, si vous le jugez utile.

Il y eut un long silence, durant lequel Jeff la

regarda bien droit dans les yeux, puis il dit d'une voix sèche, méconnaissable, en articulant bien ses mots :

— Vous avez raison. Votre départ simplifiera tout.

Elsa parvint à étouffer le cri qui jaillit de sa gorge. Tu l'as voulu, lui souffla une petite voix.

Jeff se leva, très pâle.

— Si vous voulez porter plainte contre ces deux hommes pour tentative d'homicide volontaire et contre Eileen pour complicité, Jasper se chargera de votre dossier.

Elle hocha la tête en silence. Qu'il s'en aille, vite, priait-elle intérieurement. Mais Jeff ne partit pas. Il se pencha brusquement en avant et l'embrassa avec une violence presque désespérée, puis se releva aussitôt et quitta la chambre sans se retourner.

Un silence affreux envahit la pièce. Les yeux secs, Elsa se leva et alla à la fenêtre regarder le coucher de soleil, jusqu'à ce que la chambre soit plongée dans la pénombre. On était samedi soir et dans toute la ville les gens s'amusaient, chantaient, dansaient. Deux semaines plus tôt, Jeff Wagner l'avait demandée en mariage...

Soudain, on frappa à la porte.

— Elsa ? Tu dors ? C'est moi, Jamie.

La jeune femme sursauta et se dépêcha d'allumer la lumière.

— Jamie ? Entre !

La porte s'entrouvrit, laissant apparaître le visage souriant de son amie. Derrière elle suivaient Steve et Lily.

— Comme c'est gentil à vous d'être venus, balbutia Elsa, émue aux larmes. Je vous croyais au bal...

— Nous n'avons pas eu le cœur de nous amuser pendant que notre petite Elsa se morfond dans une chambre d'hôpital ! Alors, quand reviens-tu au ranch ?

— Les médecins me laisseront sortir dès que ma fièvre sera tombée, répondit Elsa prudemment, en lançant un regard interrogateur en direction de Steve.

Celui-ci était-il au courant de sa décision de ne pas retourner au ranch ? Jeff s'était peut-être confié à lui...

— Comment va Rebus ? s'enquit-elle, désireuse de changer de sujet.

— Il dévore tout ce qui lui passe sous la truffe ! lança Lily en riant. Bientôt je vais être obligée de le chasser de ma cuisine !

— Elsa, reprit Jamie d'un ton impatient, vas-tu poursuivre Eileen en justice ? Tu en as le droit, tu sais. Je dirais même le devoir !

Perplexe, la jeune femme regarda tour à tour ses trois amis.

— Je ne sais pas.

— Jamie a raison, dit Steve d'une voix douce. Après tout, elle est complice d'une tentative de meurtre.

— Moi, à ta place... commença Jamie.

Steve tapota l'épaule de sa femme.

— Laissons-la réfléchir. Elsa n'est pas encore en état de décider.

— Tenez, Miss Elsa, dit Lily en lui tendant un

sachet de papier, je vous ai apporté des petits pains ronds, comme vous les aimez tant, des petits fromages de brebis et de la confiture de fraises maison !

— Hmm... Lily, grâce à vous, je sens que je vais retrouver l'appétit ! Avez-vous des nouvelles d'Amanda ? ajouta-t-elle en mordant à belles dents dans un pain croustillant.

— Jeff lui a dit que tu étais à l'hôpital, répondit Jamie. Sans lui donner de détails, bien entendu. Elle ne voulait pas aller à Newark sans toi, mais tes amis Monroe ont insisté pour la voir cette semaine. Alors pour la rassurer, Jeff lui a promis que tu serais au ranch à son retour.

Elsa s'abstint de tout commentaire, mais après le départ de ses amis, elle se jeta sur son lit en pleurant. Pour rien au monde, elle ne voulait faire de peine à Mandy...

Chapitre 13

En sortant de la chambre d'Elsa, Jeff avait arpenté le long couloir laqué de blanc, les poings dans les poches, incapable de prendre une décision. Il sentait encore sur sa bouche le goût des lèvres d'Elsa, et leur parfum fruité. Un instant, il fut tenté de pousser la porte et de retourner dans la chambre, mais finalement il tourna les talons, prit un taxi pour rentrer à l'hôtel et monta directement se coucher.

Une fois au lit, malgré son épuisement, il ne parvint pas à trouver le sommeil. Des images colorées qui se superposaient dans son cerveau, surgissaient trois visages : celui d'Amanda, celui d'Elsa et celui d'Eileen. Il n'arrivait pas encore à croire tout à fait aux accusations portées par les deux voleurs. Dans sa naïveté, jamais il n'aurait imaginé Eileen capable de mettre au point un tel scénario, pour évincer une rivale...

Deux ans après la mort de Myra, il avait décidé de reprendre une existence « normale » et avait accepté de sortir, d'aller au bal en compagnie des Hilton et de Jasper. Eileen, qu'il avait plus ou moins perdue de vue après son mariage, était revenue de plus en plus souvent au ranch, d'abord avec des amies, puis seule par la suite. Et de fil en aiguille, ils avaient été amenés à envisager leurs fiançailles, sans que Jeff se souvînt d'ailleurs lui avoir demandé sa main. Son seul vrai problème était l'indifférence, voire l'hostilité d'Eileen vis-à-vis d'Amanda. A l'époque, il s'était dit, philosophe, que les choses s'arrangeraient peut-être avec le temps. Et puis un beau jour, Elsa Whitelake avait surgi dans sa vie...

Amanda, très intuitive, s'était aussitôt attachée à cette nouvelle amie qui connaissait son langage. Lorsqu'elle avait exigé qu'Elsa les accompagne à Newark, il avait enfin compris l'intensité du lien qui unissait la jeune femme à son enfant.

Il se souvint avec horreur de cette soirée où il avait annoncé à Eileen qu'il ne l'épouserait jamais puisqu'il avait décidé de se marier avec Elsa. Eileen l'avait dévisagé, stupéfaite.

— L'épouser ? Et nous, Jeff ?

— Eileen... Nous sommes amis depuis trop longtemps...

— Tu veux dire que tu aimes cette... cette...

L'indignation et la colère l'empêchèrent de terminer sa phrase.

— Ah, elle a bien su manœuvrer ! Pour séduire le père, obtenir les bonnes grâces de la fille...

— Eileen, calme-toi. Comment peux-tu dire des choses pareilles ?

Mais Eileen ne s'avouait pas vaincue. C'est à ce moment-là qu'elle avait évoqué la responsabilité d'Elsa dans la disparition de leur bétail. Il ne l'avait pas crue, puisqu'il était allé demander Elsa en mariage dès le lendemain. Mais son grand tort avait été de mentionner les accusations d'Eileen. Elsa avait conclu à une manœuvre de sa part, alors qu'il était seulement venu lui offrir son cœur... Et à cause de ses stupides atermoiements, la femme qu'il aimait avait failli mourir. Soudain, sa décision fut prise. Le lendemain matin, il irait chercher Mandy à l'école, la ramènerait au ranch, et irait ensuite clarifier cette affaire chez les McKane. Eileen lui devait de sérieuses explications.

Le soleil était haut dans le ciel, lorsqu'au volant de sa Mercédès, il franchit l'immense portail blanc du ranch McKane. Quelques centaines de mètres plus loin, il se garait devant la magnifique bâtisse de style colonial, à côté de la Porsche verte d'Eileen. Sans prendre la peine de sonner, il poussa la porte d'entrée, traversa le hall majestueux, et se rendit directement dans la cuisine. Eileen était assise à la table et Ron, son contremaître, se tenait adossé au réfrigérateur, une canette de bière à la main.

En voyant entrer Jeff, Eileen sursauta et manqua de lâcher sa tasse de café. Elle pâlit, jeta un bref coup d'œil en direction de Ron, puis se ressaisit et déclara d'un ton enjoué :

— Eh bien... Que nous vaut l'honneur de cette visite ? Je te croyais à Newark avec Mandy ?

— Pas encore. Nous ne partons que ce soir. Eileen, j'aimerais te parler. Seul à seule.

— D'accord. Ron, pouvez-vous aller vous occuper de ce que je vous ai demandé ?

Le contremaître hocha la tête et quitta la cuisine, non sans avoir lancé à Jeff un regard méfiant.

— Des problèmes, Eileen ? demanda celui-ci.

La jeune femme émit un petit rire.

— Rien de grave. Deux de mes hommes se sont un peu échauffés au cours d'un bal, samedi soir, et le shériff Denton les a arrêtés.

Bien sûr, ce genre d'incident arrivait fréquemment, mais Jeff aurait juré qu'elle mentait.

— Je viens t'annoncer une nouvelle qui te fera sûrement plaisir, Eileen. Elsa Whitelake pourra bientôt quitter l'hôpital.

— Mais bien sûr, cela me fait plaisir, Jeff. Pourquoi en serait-il autrement ? Tout ceci n'était que comédie.

Jeff se sentit pâlir.

— Que veux-tu dire ?

— C'est évident : ses complices devaient la malmener un peu, pour que l'histoire paraisse vraisemblable. Ainsi, ils pouvaient filer tranquillement...

Il remarqua son sourire satisfait, ses yeux bleus qui mentaient, et eut soudain envie de la gifler.

— D'où tiens-tu cette information ?

— Mais de personne, voyons. Simple question de bon sens !

— Je ne te crois pas, Eileen. Tu mens.

La jeune femme se leva d'un bond. Elle portait un jodhpur de suédine et un coûteux corsage de soie beige. De ses cheveux blonds s'échappait un parfum capiteux mais Jeff pensa à la fragrance subtile de l'eau de toilette d'Elsa.

— Es-tu toujours décidé à l'épouser, après tout ce qui s'est passé ? s'écria-t-elle d'une voix suraiguë.

— Plus que jamais.

— Ton cher vétérinaire ne nous a pourtant pas expliqué comment tes bêtes avaient pu passer dans ma propriété...

— Te souviens-tu du dernier tremblement de terre ?

— Vaguement, oui, pourquoi ?

— Il a créé une brèche dans la montagne. Un passage étroit mais suffisant pour que des bêtes — ou un camion — puissent s'y glisser. Ron l'a découvert, t'en a parlé, et à partir de là, tu as manigancé ton plan...

Elle ne répondit pas. La contrariété, la rage, déformaient ses traits délicats.

— Eileen, reprit Jeff, je te pardonne parce qu'Elsa est sauvée, mais dis-toi bien que si elle avait été tuée...

— Je... je ne voulais pas... commença Eileen, puis elle se mordit la lèvre, s'apercevant qu'elle en avait trop dit.

Sa combativité reprit le dessus et elle releva orgueilleusement le menton.

— Tu vas gâcher ton existence avec cette femme ! Elle est à moitié indienne, elle ne connaît même pas son vrai nom !

— Raison de plus pour lui donner le mien, ironisa-t-il.

Il se dirigea vers la porte, puis se retourna une dernière fois.

— A propos, dès que j'aurai récupéré le bétail volé, je te rendrai les vaches qui t'appartiennent.

Eileen éclata de rire.

— Comment comptes-tu les différencier ? Elles n'ont plus d'agrafes ! Encore une idée de ta chère Elsa, ces fameuses agrafes !

— Je me débrouillerai, dit Jeff avec un sourire énigmatique. Adieu, Eileen.

De retour chez lui, il entra dans la chambre d'Amanda, qui dormait encore. On ne voyait qu'une touffe de cheveux blonds émerger des couvertures. Il se pencha pour l'embrasser, puis s'éloigna sur la pointe des pieds. Elle pouvait dormir toute la matinée, l'avion pour Newark ne décollait qu'en fin d'après-midi.

Il se rendit ensuite dans son bureau et téléphona à l'hôpital de Tucson.

— Pourrais-je parler au docteur Barry ? demanda-t-il à la standardiste.

— Ne quittez pas.

Il y eut un cliquetis sur la ligne, puis la voix du médecin se fit entendre.

— Docteur Barry, j'écoute.

— Bonjour docteur, Jeff Wagner à l'appareil. Combien de temps comptez-vous garder Miss Whitelake ?

— Je ne veux pas la laisser sortir prématurément, monsieur Wagner. Le risque d'infection est encore trop grand.

Jeff s'éclaircit la gorge.

— Je comprends. Docteur, puis-je vous demander un service ? Pourriez-vous retarder sa sortie jusqu'à mon retour de Newark, sans lui dire que c'est moi qui vous l'ai demandé, bien entendu.

— Bon, c'est promis, fit le médecin en riant.

Jeff raccrocha, puis appela Steve et Jasper, pour leur demander de venir déjeuner chez lui. Il prévint ensuite Lily de préparer un repas pour cinq personnes, avant de téléphoner à Jim Summers...

De son côté, Elsa commençait à s'ennuyer dans sa chambre d'hôpital, bien qu'elle reçût la visite fréquente de ses amis. Elle avait beau protester, le docteur Barry se refusait à lui indiquer la date de sa sortie.

— Préférez-vous quitter l'hôpital de façon définitive, lui répétait-il, ou bien être obligée de revenir parce que vous n'êtes pas complètement guérie ?

— Je comprends, docteur. Mais je vous assure que je me sens très bien !

Ce n'était pas tout à fait vrai. A chaque fois qu'elle éternuait, elle ressentait une violente douleur au côté. Et surtout, elle avait toujours sommeil et dormait dix-huit heures sur vingt-quatre !

Le lundi matin, elle s'éveilla en pensant à Mandy. Jeff l'emmenait aujourd'hui à Newark. Elle se promit de téléphoner aux Monroe dans le courant de la semaine pour se renseigner sur l'état de santé de la fillette.

Curieusement, à partir de ce jour-là, elle eut l'impression que le docteur Barry l'évitait comme la peste... Lui qui d'ordinaire s'attardait à bavarder avec elle, prétextait désormais des rendez-vous urgents et inventait chaque jour des prétextes différents pour retarder sa date de sortie...

— Vous ne pourrez remonter à cheval ni rouler en jeep avant plusieurs semaines, lui dit-il le mercredi soir en examinant la plaie à peine refermée. Si vous remarquez un écoulement suspect, prévenez-moi immédiatement.

Ce soir-là, elle avoua au médecin qu'elle n'avait pas l'intention de retourner au ranch Wagner et qu'elle irait s'installer chez Jim Summers.

Il se redressa, surpris.

— Tiens, quelle idée ? Vous vous êtes pourtant fait beaucoup d'amis au ranch Wagner...

Elsa acquiesça en souriant.

— En effet. Je ne regrette pas d'être venue travailler dans l'Arizona.

— Même après ce qui s'est passé ?

— C'est une expérience que j'aurais volontiers évitée, mais si un jour je décide d'écrire mes mémoires, j'aurai matière à raconter !

Le lendemain matin, Jamie lui apporta des vêtements propres, dont un ravissant chandail en angora rouge qu'elle avait tricoté elle-même.

— Oh, Jamie, si tu savais comme je trouve le temps long ! soupira Elsa. La prochaine fois que je vois le docteur Barry, c'est décidé, j'exige de sortir de cet hôpital, quitte à lui signer une décharge de responsabilité !

Elle alla se regarder dans la glace de sa salle de bains et souleva la lourde masse de ses cheveux.

— J'aurais besoin d'un shampooing et d'une bonne coupe.

— Sais-tu qu'il y a un salon de coiffure, dans l'hôpital ? Tu peux même prendre rendez-vous par téléphone.

— Il y a longtemps que je n'ai pas été chez un coiffeur, remarqua Elsa en souriant. Plus de deux ans, je crois. A El Paso, j'avais une voisine qui savait très bien couper les cheveux !

Après le départ de Jamie, elle déjeuna puis descendit au salon de coiffure.

— J'aimerais une coupe très simple, dit-elle à la coiffeuse. Que mes cheveux repoussent ensuite naturellement.

Une heure plus tard, elle se contemplait avec une certaine satisfaction dans le miroir à trois faces que lui présentait la coiffeuse. Ses cheveux avaient retrouvé leur brillance et leur gonflant.

— Je crois que ça ira, dit-elle en souriant. Le docteur Barry me laissera peut-être sortir, à présent !

Le vendredi, vers dix heures, le médecin vint lui rendre visite, accompagné d'une infirmière.

— Miss Whitelake, je viens vous faire souffrir. Encore une prise de sang ! Je vous promets, ce sera la dernière. Si les résultats sont bons, nous songerons à vous libérer de votre prison.....

— Vous songerez... grommela Elsa avec humeur, tandis que l'infirmière désinfectait son bras. Voilà plus d'une semaine que vous me dites la même chose.

Après le départ du médecin, elle fit un brin de toilette, s'habilla et s'allongea sur son lit pour feuilleter un magazine féminin. Encore une longue journée d'inaction... Soudain, on frappa à la porte.

— Elsa ! Coucou, c'est nous !

Surprise, elle se retourna et vit entrer Jamie, vêtue d'une ravissante robe de jersey rose, une cape de fourrure jetée sur les épaules. Derrière elle, se tenait Steve, très élégant dans un costume bleu sombre. Il tenait dans ses mains la robe jaune qu'Elsa portait au bal de Noël et aussi ses sandalettes dorées.

— Mais... que faites-vous dans cette tenue ? balbutia la jeune femme, stupéfaite.

— Ils vont à un mariage, annonça la voix de Jeff, qui venait d'entrer derrière eux.

Il enveloppa Elsa d'un regard grave et tendre. Il portait un costume gris très distingué, une chemise blanche et un œillet blanc à la boutonnière.

— Jamie va vous aider à vous habiller, dit-il en s'avançant vers elle. Hmm... cette nouvelle coiffure vous va à ravir.

Elsa dévisagea ses trois visiteurs sans comprendre.

— M'habiller ? Vraiment, je ne...

— Notre mariage a lieu dans une demi-heure, alors il faut vous faire belle...

— Notre... vous voulez dire, nous deux ?

— Oui, Elsa. Nous deux. Vous et moi.

L'incrédulité, la stupéfaction, le bonheur se peignirent tour à tour sur les traits de la jeune femme. Avant même qu'elle ait pu ouvrir la bouche, trois nouveaux arrivants apparurent dans la chambre :

Rio, Amanda et Jasper. La petite fille, qui portait la robe qu'Elsa lui avait offerte pour Noël, se précipita dans ses bras et la couvrit de baisers sonores.

— Elsa ne pourra jamais s'habiller, si vous restez tous là à la regarder ! se fâcha soudain Jamie. Allez, hop ! tout le monde dehors !

Dès qu'ils furent partis, Elsa se laissa tomber sur son lit et murmura :

— Jamie... que m'arrive-t-il ?

Cette dernière éclata de rire.

— Jeff Wagner a besoin d'une épouse, Amanda d'une mère, et nous tous de notre vétérinaire préféré ! C'est aussi simple que cela.

Tout en parlant, elle l'aida à ôter son pantalon, son chandail, et à enfiler la robe jaune et les sandalettes.

— Eh bien voilà ! s'écria-t-elle quelques instants plus tard. Tu fais une très jolie mariée.

— Jamie, tu ne peux pas comprendre, murmura Elsa, désolée. Il y a quelque chose que Jeff ignore et...

— Aucune importance. Tu l'aimes, n'est-ce pas ? C'est le principal !

A ce moment, on frappa discrètement à la porte. Jeff entra et contempla avec admiration la mince silhouette de la jeune femme mise en valeur par la robe éclatante.

Jamie s'éclipsa et ils se retrouvèrent seuls, face à face.

— Elsa, vous êtes belle, et je vous aime. Mais vous, êtes-vous bien sûre de m'aimer ? Je vous sens parfois si réticente, si...

— Mais Jeff, Eileen ? Le bétail volé ?

En guise de réponse il l'embrassa.

— Répondez d'abord à ma question.

— Oui, Jeff, je vous aime, mais...

— C'est tout ce que je désirais savoir.

La porte s'entrouvrit, laissant apparaître le docteur Barry.

— Monsieur Wagner, si je dois conduire la fiancée à l'autel, nous devrions nous dépêcher. J'opère dans une heure et je ne peux pas faire attendre mon patient ! Miss Whitelake, vous voudrez bien me pardonner cette petite cachotterie. M. Wagner m'avait interdit de vous laisser quitter cet hôpital avant son retour...

Ainsi, tout le monde avait participé au complot, y compris le personnel de l'hôpital ! Elsa croyait rêver...

La cérémonie eut lieu dans une petite pièce blanche au rez-de-chaussée du bâtiment. Très grave, Jasper prit la parole.

— Elsa Whitelake, acceptez-vous de prendre pour époux légitime, Jeff Wagner, ici présent ?

Jeff lui serra sa main dans la sienne. Chacun retenait son souffle.

— Oui, murmura-t-elle d'une voix à peine audible.

— Jeff Wagner, acceptez-vous de prendre pour légitime épouse, Elsa Whitelake, ici présente ?

— Oui, fit ce dernier d'une voix ferme, avant de lui chuchoter à l'oreille :

— Donnez-moi votre main.

Il glissa à son annulaire un ravissant anneau d'argent ciselé.

Jasper s'éclaircit la gorge.

— Je vous déclare mari et femme. Monsieur Wagner, vous pouvez embrasser la mariée.

Jeff s'exécuta, tandis qu'un tonnerre d'applaudissements et de cris éclatait dans la salle. Dans la confusion des embrassades, des congratulations, des étreintes, Elsa ne retint qu'une seule chose : elle venait de vivre le plus beau moment de sa vie.

Jim Summers, qu'elle n'avait pas vu arriver, s'avança vers elle et l'embrassa sur les deux joues.

— Je crois que cette fois, j'ai définitivement perdu le meilleur vétérinaire de la région ! Tous mes vœux de bonheur, Elsa. Tous mes vœux, Jeff.

Les deux hommes échangèrent une cordiale poignée de main. Rio s'approcha d'eux, visiblement très ému.

— Jeff, dit-il timidement, dois-je vous considérer comme mon beau-père ou mon beau-frère ?

— A toi de choisir, Rio. Les deux, si tu préfères. De toute manière, nous formons une famille peu ordinaire, tous les quatre, n'est-ce pas, Mandy ?

La fillette leva vers lui ses grands yeux gris.

— Papa... Elsa, c'est ma maman ou ma grande sœur ?

— Toi aussi, tu peux décider. Que préférerais-tu ?

— Je peux choisir les deux ?

Elsa s'agenouilla devant elle.

— Soyons d'abord amies, Mandy. Le reste viendra plus tard...

La fillette hocha la tête et noua ses bras autour du cou de la jeune femme.

— J'ai envie de rentrer à la maison...

— Tu vas sagement rentrer avec Steve et Jamie, lui dit Jeff. Elsa et moi, nous vous rejoindrons un peu plus tard...

Un quart d'heure après, ils remontaient tous les deux dans la chambre. Jeff ferma la porte, puis se tourna vers la jeune femme qui se tenait debout au milieu de la pièce, immobile.

— Vous devriez vous changer, dit-il d'une voix douce. Il ne faut pas abîmer cette belle robe dans la voiture. Attendez, je vais vous aider.

Il dégrafa la robe qui tomba sur le sol avec un bruissement soyeux, et caressa tendrement ses épaules dénudées.

— Dépêchez-vous de vous habiller, lui souffla-t-il à l'oreille, sinon cette chambre sera le témoin d'un spectacle peu habituel pour un lieu comme celui-ci...

Elsa sourit et revêtit un pantalon de toile légère, un chandail et une veste en jean. Elle ferma ensuite sa valise et jeta un dernier coup d'œil à cette pièce où elle avait passé près de trois semaines.

Jeff l'embrassa sur la joue, prit la valise d'une main et lui offrit le soutien de son autre bras. En passant devant la salle de garde, elle s'arrêta pour faire ses adieux aux infirmières qui s'étaient si gentiment occupées d'elle. Puis d'une démarche prudente, elle suivit Jeff jusqu'au parking. Celui-ci lui ouvrit la porte de la Mercedes, déposa la valise dans le coffre et s'installa au volant. Ils roulaient depuis plusieurs kilomètres lorsque Elsa se tourna vers lui.

— Qui va s'occuper du bétail, pendant que le vétérinaire convole en justes noces avec le patron du ranch ?

— Rio termine son trimestre dans moins d'une semaine. Il m'a promis de revenir tout de suite, avec un ou deux camarades.

— Très bien, murmura-t-elle, rassurée.

La Mercedes ralentit et entra dans le parc d'un des plus luxueux hôtels des environs de Tucson. Un chasseur leur ouvrit les portières, puis un groom en livrée les guida cérémonieusement le long d'un somptueux corridor jusqu'à leur suite, composée d'un salon, de deux chambres et de deux salles de bains. Main dans la main, ils en firent le tour, avant de retourner au salon.

Elsa repoussa les tentures de soie violette et regarda par la fenêtre qui donnait sur le parc.

— Jeff, pourquoi deux chambres ? murmura-t-elle par-dessus son épaule.

— J'ai pensé que vous auriez envie de dormir seule. Vous avez besoin de repos.

Jeff avait raison. Elle se sentait très lasse. Quelques heures auparavant, elle était encore allongée sur un lit d'hôpital.

— Jeff, pourquoi ne pas m'avoir prévenue de cette cérémonie. Je n'y étais guère préparée...

— Je voulais vous épouser, Elsa. Je craignais que vous refusiez, par fierté. Alors j'ai pris le risque de vous fâcher un peu. M'en voulez-vous ?

— Non, bien sûr ; mais il y avait certaines choses dont j'aurais préféré vous parler avant...

Il s'approcha d'elle et l'encercla par la taille.

— Plus tard, ma chérie. Maintenant il faut songer à vous reposer. J'ai promis au docteur Barry de prendre grand soin de vous... J'ai commandé un repas léger. Ensuite vous pourrez faire la sieste et plus tard dans l'après-midi nous irons faire quelques courses en ville.

Elsa hocha la tête, puis appuya sa joue contre la poitrine de Jeff. Les battements réguliers de son cœur la rassuraient.

On frappa à la porte.

— Votre déjeuner, messieurs-dames.

Le groom entra dans le salon, poussant une table roulante où trônait une bouteille de champagne dans un seau à glace en argent. Il fit sauter le bouchon, versa le liquide pétillant dans une flûte en cristal et la tendit à Jeff qui la goûta et hocha la tête d'un air appréciateur.

Le groom s'éclipsa ensuite discrètement.

— Madame Wagner, dit Jeff d'un ton faussement cérémonieux en lui avançant une chaise, si vous voulez bien passer à table...

Elle le regarda, un peu étonnée, puis sourit, révélant deux minuscules fossettes qu'il n'avait pas vues depuis longtemps.

— C'est si bon de vous voir sourire, ma chérie...

— Excusez-moi, je ne suis pas encore habituée à mon nouveau nom.

Il s'assit en face d'elle, lui servit un peu de champagne et entrechoqua son verre contre le sien.

— A votre rétablissement, Elsa et à nous deux pour une longue vie de bonheur.

— A nous deux, murmura-t-elle, très émue.

Après le repas, elle ne put réprimer un bâillement.

— Je... je suis désolée, balbutia-t-elle, je crois que je vais aller me reposer.

Jeff se leva, fit le tour de la table, la prit par le bras et la guida jusqu'à sa chambre. Devant la porte, il l'embrassa avec une infinie douceur.

— Dormez autant que vous voudrez ma chérie. J'ai moi-même besoin d'un peu de repos.

Elsa se déshabilla, repoussa le dessus de lit aux tons vieil or et se glissa entre les draps de satin ivoire. Elle s'endormit presque aussitôt. Mais très vite, l'horrible cauchemar revint.

... Elle courait, poursuivie par des tueurs invisibles jusqu'à une muraille infranchissable. Elle se retournait, hors d'haleine, pour faire face à Eileen dont le rire déchirait le silence. Cette fois, sa rivale tenait un fusil pointé dans sa direction...

— Jeff ne vous épousera jamais...

Elsa tendit les mains en avant pour se protéger, protection bien dérisoire face à une arme à feu.

— Non ! hurla-t-elle de toutes ses forces...

— Elsa, ma chérie, que se passe-t-il ?

Elle ouvrit brusquement les yeux et vit le visage inquiet de Jeff penché sur elle.

— Oh, Jeff, j'ai eu si peur...

Il la tint serrée contre lui, jusqu'à ce qu'elle cesse de trembler. Elle s'aperçut alors que les draps avaient glissé, révélant sa poitrine dénudée.

— Racontez-moi votre cauchemar, murmura-t-il.

— Oh, des images sans queue ni tête. Je ne m'en souviens déjà plus, mentit-elle en s'efforçant de paraître sincère.

Une heure plus tard, elle le rejoignait à la réception, vêtue d'un pantalon et d'un chandail turquoise, assorti à la couleur de ses yeux. Elle avait pris soin de mettre des lunettes noires, pour se protéger de l'éclat du soleil. Ils se promenèrent trois heures durant dans les rues de Tucson, entrant dans toutes les boutiques et s'amusant comme des enfants. Lorsqu'ils revinrent à l'hôtel, le coffre de la Mercedes était plein !

— Je crois qu'il ne nous reste plus qu'à rentrer, s'exclama la jeune femme en se laissant tomber sur le divan.

— Pourquoi donc ?

— Je viens de dépenser toutes mes économies !

Le visage de Jeff devint grave.

— Désormais mon argent est votre argent, Elsa, ne l'oubliez pas...

Il vint s'agenouiller devant elle et appuya sa joue contre sa cuisse. Emue, Elsa caressa tendrement sa chevelure noire et bouclée.

A ce moment, le groom entra, chargé de nombreux paquets.

— J'ai hâte de vous voir porter ces robes, dit Jeff en ouvrant à la hâte le premier paquet.

Il sortit cinq robes, toutes plus jolies les unes que les autres, et les étala sur le divan.

— Jeff, nous avons fait des folies ! Je n'aurai jamais l'occasion de les porter...

— Vous aimez aller au bal, non ? Tenez, essayez celle-ci, ajouta-t-il en désignant une robe de fin tulle vert pâle. Voulez-vous que je sorte, pendant que vous vous changez ?

Elle fit non de la tête, ôta son pantalon et son chandail, enfila la robe et lui offrit son dos afin qu'il remonte la fermeture-Eclair. Puis elle se rassit et laissa Jeff glisser à ses pieds des escarpins vernis.

— J'ai réservé deux places pour un dîner-spectacle, à l'hôtel même, dans trois quarts d'heure environ. Si vous êtes d'accord, bien entendu...

— Bien sûr ! J'ai presque faim...

— Bon, à mon tour d'aller me changer. Je n'en ai pas pour longtemps.

Pendant que Jeff s'habillait, Elsa entra dans la salle de bains pour se coiffer et se maquiller.

— Toi, tu ne ressembles pas à une nouvelle mariée, dit-elle à son reflet dans la glace, en s'examinant d'un œil critique.

Par petites touches, elle étala un peu de fond de teint pour rehausser son teint, mit un soupçon de rouge à joues sur ses pommettes et souligna son regard d'un léger trait de khôl noir.

Elle retourna ensuite dans sa chambre, et regarda rêveusement par la fenêtre les grands palmiers du parc agités par la brise.

Jeff la rejoignit quelques instants plus tard.

— Elsa ?

Ses lèvres souriaient, mais son visage était grave.

— Si vous n'avez pas envie d'aller à ce dîner, je peux l'annuler. Ne vous sentez surtout pas obligée...

— Non, non, je me sens très bien. Il y a bien longtemps que je n'ai pas assisté à un spectacle !

— Cette robe vous va à ravir, dit-il d'un ton admiratif. Elle rappelle la couleur de vos yeux, une « drôle de couleur », comme dit Amanda...

— A propos, Jeff, parlez-moi de votre séjour à Newark...

— Les Monroe sont très satisfaits de leur travail. Ils vont prochainement publier un article décrivant la guérison d'Amanda dans une revue spécialisée. Ils m'ont promis de nous en envoyer un exemplaire ! Maintenant, ajouta-t-il en consultant sa montre, nous devrions descendre dîner, si nous ne voulons pas manquer le lever de rideau.

Tandis qu'ils passaient leur commande, un projecteur bleu fit lentement le tour de la salle avant de se poser sur une jeune femme vêtue de noir, qui se mit à chanter d'une voix chaude et pure ; à la fin de la chanson, Elsa soupira, s'appuya contre le dossier de sa chaise et sourit à Jeff.

— Quelle belle voix...

— Oui, acquiesça-t-il. Tiens, cela me rappelle que j'ai un message pour vous de la part des habitués du bal de Tombstone. Ils vous souhaitent une rapide guérison et attendent impatiemment votre retour...

Le spectacle commença au moment où le serveur leur apportait deux énormes langoustes grillées. Une lumière blanche et crue éclaira la scène. L'action se déroulait dans une chambre d'hôtel, où une femme enceinte attendait le retour de son compagnon.

Elsa crispa ses doigts sur le manche de sa fourchette. Elle ne pouvait quitter des yeux la silhouette arrondie de l'actrice et pressa involontairement sa main gauche contre son ventre plat. Elle ne donnerait jamais d'enfant à Jeff et celui-ci ne le savait pas...

Leurs regards se croisèrent à cet instant précis. Elle crut voir une lueur attristée dans les yeux de Jeff. Non, elle avait certainement rêvé.

— Fatiguée ? s'enquit-il avec tendresse.

Elle secoua la tête en souriant et reporta son attention sur le spectacle.

Lorsque les lumières se rallumèrent, ils quittèrent la salle et remontèrent directement dans leur suite. Jeff la raccompagna jusqu'au seuil de sa porte.

— Essayez de dormir, murmura-t-il. Le docteur Barry vous a-t-il donné des médicaments ?

— Oui, un sédatif léger.

— Très bien. Bonne nuit, ma chérie.

Après s'être déshabillée, Elsa prit l'une des pilules roses prescrites par le médecin, se glissa entre les draps et éteignit la lumière. Mais le sommeil ne venait pas. Elle se tourna et se retourna dans son lit. Enervée, elle se redressa et vit qu'un mince rai de lumière filtrait sous la porte de Jeff. Sans hésiter, elle se leva, traversa sa chambre et poussa doucement la porte.

— Quelque chose ne va pas ? s'inquiéta Jeff.

Elsa s'assit sur le bord du lit.

— Puis-je... puis-je dormir avec vous ?

Sans un mot il se poussa pour lui faire de la place. Elle s'allongea à ses côtés et posa la tête sur son épaule.

— Jeff, je n'ai pas sommeil.

— Il faut pourtant dormir, Elsa. Vous êtes encore convalescente.

— Convalescente, oui ; mais aussi jeune mariée, ajouta-t-elle en se pelotonnant amoureusement contre lui.

— Le docteur Barry ne serait pas content, dit-il d'un ton faussement fâché.

— Je ne connais qu'un moyen pour m'aider à guérir, lui chuchota-t-elle à l'oreille : aimez-moi, Jeff...

Chapitre 14

La première pensée d'Elsa en s'éveillant fut qu'elle s'appelait désormais Elsa Wagner. Ce nouveau nom lui plaisait... Elle resta quelques minutes immobile dans le grand lit, encore ensommeillée, puis se tourna sur le côté : l'empreinte de la tête de Jeff était restée imprimée sur l'oreiller. Où était-il donc passé ? Elle chercha à tâtons sa montre posée sur la table de chevet et poussa un cri en lisant l'heure : dix heures du matin !

Elle sauta hors du lit, tira les rideaux, ouvrit la fenêtre et emplit ses poumons de l'air parfumé par les fleurs du parc. Le printemps arrivait, un printemps presque parfait, s'il n'y avait pas encore une ombre au tableau. Elle passa ensuite dans la salle de bains, et prit une douche.

Ensuite, elle s'enveloppa dans une grande serviette éponge, et ouvrit sa valise pour choisir une tenue légère car la journée promettait d'être douce. A ce moment, Jeff entra et vint l'embrasser.

— Bien dormi ?

Elle se haussa sur la pointe des pieds et lui offrit ses lèvres.

— Je crois que j'ai *trop* dormi !

Il sourit.

— Alors nous allons directement commander un déjeuner !

Un quart d'heure plus tard, ils descendirent dans la salle du restaurant où les clients retardataires prenaient encore leur petit déjeuner. Lorsqu'ils eurent terminé un « brunch » somptueux, la majestueuse horloge de la salle indiquait onze heures et demie.

— Que diriez-vous d'une grande promenade ? proposa Jeff, en reposant sa tasse de café. Une lune de miel dans le désert ?

— Volontiers ! Je me sens en pleine forme !

A midi, ils quittèrent Tucson et prirent l'autoroute 89 en direction d'Apache Junction.

— Je ne suis jamais venue jusqu'ici, remarqua Elsa en admirant le paysage.

— Nous aurons bientôt dépassé les dernières habitations. Le ranch de Jim Summers en fait partie. Ensuite commence la terre des chercheurs d'or, le lieu de prédilection des metteurs en scène de western. Cet endroit est peuplé de légendes, issues de l'imagination fertile des premiers pionniers.

Elsa se pencha sur la carte routière, puis leva les yeux vers les crêtes aux noms évocateurs : la montagne de la Superstition, le pic du Hollandais Perdu... Combien d'aventuriers attirés par l'or s'étaient-ils perdus dans ce désert qu'ils traversaient à pied ou à dos de mulet ?

Soudain, la jeune femme ouvrit de grands yeux.

— Jeff, je dois rêver, dit-elle en désignant un grand lac dont l'immensité turquoise miroitait au soleil.

— C'est l'eau de retenue d'un barrage. Ce chemin que vous voyez à flanc de colline, s'appelle le sentier des Apaches. Il se termine au grand barrage Roosevelt, de l'autre côté des montagnes.

Le paysage se transformait peu à peu et Elsa se vit brusquement transportée dans un décor de cinéma : une ville de western, composée de maisons en rondins, à l'entrée de laquelle trônait une pancarte blanche : TORTILLA FLAT, 6 habitants.

Quelques mètres plus loin, ils s'engagèrent sur un chemin cahoteux, qui menait vers une bâtisse en pisé sur laquelle étaient peints en lettres noires « HOTEL-CAFE-RESTAURANT-POSTE BIENVENUE AUX VOYAGEURS ».

Une vieille dame aux cheveux gris apparut sur le seuil de la porte, en s'essuyant les mains à son tablier.

— Messieurs-dames, vous désirez ?

— Bonsoir, madame. J'ai réservé une chambre au nom de Wagner.

— Wagner, dites-vous ? Ah oui, en effet. Veuillez signer ici, fit-elle en lui présentant son registre. D'où venez-vous, sans être indiscrète ?

Elle se tourna vers Elsa en souriant.

— Nous voyons si peu de monde, vous comprenez...

— Nous venons du sud de l'Arizona. Tombstone, exactement, répondit Jeff.

— Je m'appelle Sandström, reprit la vieille dame en les guidant vers leur chambre. Appelez-moi si vous avez besoin de quoi que ce soit.

Ils entrèrent dans une pièce spacieuse, avec deux grandes fenêtres qui donnaient sur une prairie où paissaient des chevaux.

Un peu lasse, Elsa s'allongea sur son lit.

— Vous devriez vous reposer, lui dit tendrement Jeff. Pendant ce temps, je vais faire un petit tour dehors. Ces chevaux m'intéressent beaucoup...

Une fois dehors, Jeff remonta le col de sa veste, et se dirigea à grandes enjambées vers le corral. Il s'accouda à la barrière et examina la douzaine de chevaux qui broutaient l'herbe rase. Il avait décidé d'offrir une monture à Elsa, qui adorait monter. Une bête, en particulier, attira son attention, une pouliche gris foncé, avec une étoile blanche sur le chanfrein qui regardait en direction des montagnes. Sa fière attitude lui rappelait Elsa.

— Elle est jolie, n'est-ce pas ?

Jeff se retourna : un homme aux cheveux blancs, qui fumait la pipe, venait vers lui.

— Magnifique, en effet. Savez-vous à qui elle appartient ?

L'homme rit de toutes ses dents.

— Que je sache, toutes ces bêtes sont à moi.

— Est-elle à vendre ?

— C'est à voir... Elle vaut beaucoup d'argent.

— Combien ?

L'homme réfléchit, puis tapota sa pipe contre la barrière pour faire tomber le tabac.

— J'ai l'habitude d'être dur en affaires, vous savez...

Jeff l'examina en souriant.

— Moi aussi. Venez, je vous offre une bière...

Le bruit de la porte qui tournait sur ses gonds réveilla Elsa. Elle sourit à Jeff.

— Avez-vous trouvé ce que vous vouliez ? demanda-t-elle en s'étirant gracieusement.

Il hocha la tête, s'assit sur le lit et lui caressa la joue, repoussant une mèche de cheveux noirs. Une bouffée de tendresse et de désir submergea la jeune femme, qui ne trouvait pas les mots pour lui exprimer son amour. Elle prit le visage de Jeff entre ses paumes et l'attira vers le sien.

— Jeff, je t'aime, murmura-t-elle, bouleversée, sans se rendre compte qu'elle le tutoyait pour la première fois. Je ne veux pas te perdre...

— Moi aussi, je t'aime, Elsa. Pourquoi cette soudaine inquiétude ?

Elle ferma les yeux.

— Jeff, il faut que je te parle. J'aurais dû te le dire depuis longtemps...

Il ne répondit pas.

— Jeff ?

Il la serra contre lui et la berça tendrement.

— Tu veux me dire que tu ne peux pas avoir d'enfant, c'est cela ?

Elsa sursauta et le dévisagea, stupéfaite.

— Comm... comment le sais-tu ?

— A l'hôpital, tu es restée longtemps inconsciente, mais tu parlais beaucoup. Au début, je croyais que tu délirais, mais peu à peu j'ai pu reconstituer ton histoire... Ainsi, c'est pour cette raison que ton premier mari avait demandé le divorce ? Jamais je ne te quitterai Elsa, m'entends-tu ? Jamais... Et puis, nous, nous avons Amanda et Rio ! Et si tu veux d'autres enfants, nous en adopterons. Le ranch est assez grand pour abriter une famille nombreuse...

Dès le lendemain, ils rentrèrent au ranch. Elsa, un peu tendue, sentit la main de Jeff se poser sur la sienne.

— Nerveuse ?

— Oui, un peu.

— Regarde...

A l'entrée du ranch, une grande banderole blanche était tendue entre les deux piliers principaux, et en grosses lettres rouges, on pouvait lire :

« BIENVENUE MADAME WAGNER »

— Tu vois, tu es chez toi, ma chérie.

Les yeux de la jeune femme s'emplirent de larmes.

— Rio, nous ne sommes plus orphelins, murmura-t-elle à mi-voix. Aujourd'hui, je crois enfin aux contes de fées.

De nouveaux héros séduisants et mystérieux
vous attendent tous les mois dans la

Collection Harlequin®

Ne les manquez pas!

COLL-NEW

Achevé d'imprimer en juillet 1985
sur les presses de l'Imprimerie Bussière
à Saint-Amand (Cher)

— N° d'imprimeur : 1308. —
— N° d'éditeur : 723. —
Dépôt légal : août 1985.

Imprimé en France